O Guia do PAI Rico

The business of the 21st Century

Do autor do best seller ***Pai Rico, Pai Pobre***

O NEGÓCIO DO SÉCULO XXI

Tradução: Eliana Bussinger

ROBERT T. KIYOSAKI

COM JOHN FLEMING E KIM KIYOSAKI

8ª tiragem

ELSEVIER

CAMPUS

Do original: *The Business of the 21st Century*

Copidesque: Shirley Lima da Silva Braz
Revisão: Edna Cavalcanti e Roberta Borges
Editoração Eletrônica: Estúdio Castellani

Elsevier Editora Ltda.
Conhecimento sem Fronteiras
Rua Sete de Setembro, 111 – 16º andar
20050-006 – Centro – Rio de Janeiro – RJ – Brasil

Rua Quintana, 753 – 8º andar
04569-011 – Brooklin – São Paulo – SP – Brasil

Serviço de Atendimento ao Cliente
0800-0265340
atendimento1@elsevier.com

ISBN 978-85-352-4520-2
Edição original: ISBN: 04-705-9539-8

Nota: Muito zelo e técnica foram empregados na edição desta obra. No entanto, podem ocorrer erros de digitação, impressão ou dúvida conceitual. Em qualquer das hipóteses, solicitamos a comunicação ao nosso Serviço de Atendimento ao Cliente, para que possamos esclarecer ou encaminhar a questão.

Nem a editora nem o autor assumem qualquer responsabilidade por eventuais danos ou perdas a pessoas ou bens, originados do uso desta publicação.

CIP-Brasil. Catalogação na fonte
Sindicato Nacional dos Editores de Livros, RJ

K68p Kiyosaki, Robert T., 1947-
Pai rico: o negócio do século XXI / Robert Kiyosaki com John Fleming e Kim Kiyosaki; tradutora Eliana Bussinger. – Rio de Janeiro: Elsevier, 2012 – 8ª reimpressão.
23 cm

Tradução de: The business of the 21st century
ISBN 978-85-352-4520-2

1. Finanças pessoais. 2. Investimentos. 3. Sucesso nos Negócios. I. Fleming, John. II. Kiyosaki, Kim. III. Título.

11-6824. CDD: 332.024
CDU: 330.567.2

Dedico este livro aos milhões de pessoas que, como você, se encontram em uma encruzilhada – afetadas pela atual crise econômica e sentindo-se perdidas em relação ao que deveriam fazer para assegurar seu futuro financeiro. Apesar do que possa parecer, quero que você saiba que esta é a melhor época para assumir o controle de seu futuro. Passei a vida educando as pessoas sobre como obter liberdade financeira e sei que este livro, como os demais da série Pai Rico, *dará a você a visão necessária para criar e sustentar a riqueza por muitos e muitos anos. Assim que você aprender a verdade sobre como o dinheiro funciona e as oportunidades de negócios que estão disponíveis para você no século XXI, será capaz de construir a vida que deseja.*

Agradecimentos

Gostaria de agradecer à minha esposa, Kim, por seu amor e apoio contínuo, assim como à minha família *Pai Rico*, que me ajudou a enviar a mensagem sobre educação financeira para milhões de pessoas ao redor do globo.

Gostaria, também, de agradecer a John Fleming, por suas valiosas opiniões sobre marketing de rede, e a Stuart Johnson, Reed Bilbray e à equipe da Video Plus, por sua assistência em tornar este livro realidade.

Por fim, gostaria de agradecer a John David Mann e J.M. Emmert, por trazerem sua arte e paixão a este projeto.

Os Autores

Robert T. Kiyosaki
Investidor, Empreendedor, Defensor da Educação Financeira e Autor Best-seller

Robert Kiyosaki é autor de *Pai Rico Pai Pobre* – o livro mais importante de finanças pessoais de todos os tempos –, um livro que desafiou e mudou a forma como dezenas de milhões de pessoas pensam sobre o dinheiro. *Pai Rico Pai Pobre* é o livro que mais tempo ficou nas quatro principais listas de livros *best-sellers* – *The New York Times*, *Business Week*, *The Wall Street Journal* e *USA Today*, e foi apontado como o *Livro Número 1 em Finanças Pessoais* pela *USA Today*, por dois anos seguidos. É a terceira mais longa duração de livros do tipo "como fazer" na lista de best-sellers.

Com perspectivas sobre dinheiro e investimentos que muitas vezes contradizem a sabedoria convencional, Robert conquistou a reputação de falar sem rodeios, com irreverência e coragem. Seu ponto de vista de que o *velho* conselho – arrume um bom trabalho, poupe dinheiro, saia das dívidas, invista para o longo prazo em uma carteira diversificada é "ruim" (tanto obsoleto quanto falho), desafia o *status quo*. Sua afirmação de que "a sua casa não é um ativo" provocou polêmica, mas provou-se precisa para muitos proprietários.

Outros títulos da série *Pai Rico* detêm quatro dos 10 lugares da *Nielsen Bookscan List*, em vendas entre 2001-2008. Traduzida para 51 idiomas, disponíveis em 109 países, a série *Pai Rico* já vendeu mais de 28 milhões de cópias em todo o mundo e tem dominado as listas de best-sellers em toda a Ásia, Austrália, América do Sul, México e Europa. Em 2005, Robert passou a fazer parte do *Hall of Fame* da Amazon.com como um dos 25 autores mais vendidos. Existem atualmente 27 livros na série *Pai Rico*. Entre os títulos notáveis, está *Nós queremos que você seja rico*, escrito com o bom amigo de Robert, Donald Trump, em 2006, que estreou em primeiro lugar na lista dos mais vendidos do *The New York Times*. Os dois amigos e gigantes dos negócios já estão trabalhando em um segundo livro.

Livros mais recentes incluem *The Real Book of Real Estate*, uma compilação de lições e conselhos da vida real de veteranos investidores em imóveis e assessores de Robert, e *A mentira dos ricos*, um livro inovador, com interatividade gratuita on-line, que atraiu uma quantidade enorme de visitas únicas e escalou o quinto lugar da lista do *The New York Times* de livros do tipo "como fazer".

Robert tem se apresentado em programas de televisão como "Larry King Live" e "Oprah", e recentemente apareceu na coluna "10 perguntas" da revista *TIME*, uma famosa coluna de perguntas & respostas, que já apresentou nomes como o diretor Spike Lee e o ator Michael J. Fox, entre outros.

Além de seus livros, Robert escreve uma coluna – "Por que os Ricos estão Ficando Cada Vez Mais Ricos" para a Yahoo! Finance e uma coluna mensal intitulada "Rich Returns" para a revista *Entrepreneur*.

John Fleming

John Fleming nasceu e cresceu em Richmond, no estado americano da Virgínia. Seu interesse pela arquitetura e o desejo de construir surgiram de uma tradição familiar que remonta a seus tataravós. Estudante brilhante, seu talento natural para projetos arquitetônicos floresceu no Illinois Institute of Technology, conhecido por sua adesão aos princípios de Mies van der Rohe, um dos arquitetos mais renomados dos tempos modernos. Após a formatura, John trabalhou para o grande arquiteto e foi selecionado para fazer muitas das ilustrações do último livro publicado sobre ele – *Mies van der Rohe: The Art of Structure*.

O conhecimento e o interesse em arquitetura de John, eventualmente, o levaram à percepção de que os mesmos princípios de concepção e construção poderiam ser aplicados à vida também. Esses pensamentos formaram a base de sua crença apaixonada de que as pessoas comuns poderiam realizar coisas extraordinárias, seguindo os conceitos similares de construção. Foi essa crença que o levou à mudança do estudo da arquitetura para uma carreira em venda direta.

A decisão de John de abraçar a indústria de venda direta se deveu ao conhecimento de que a indústria havia recebido, por mais de 100 anos, pessoas de todas as esferas, independentemente de experiência ou inexperiência passadas. Ele acreditou que isso havia possibilitado, para aqueles dispostos a aprender algumas habilidades básicas de vendas e prestação de serviços, a oportunidade de se engajar no sistema da livre empresa americana. Nos 40 anos seguintes, ele testou suas teorias não apenas consigo mesmo, mas também com milhares de outros que acreditavam que poderiam tornar-se os arquitetos de seus próprios destinos.

John construiu uma carreira de sucesso como empresário, consultor, escritor e palestrante. Ele possuiu e administrou a própria empresa de venda direta, trabalhou como construtor independente e assumiu várias posições executivas em empresas de ponta, incluindo 15 anos na Avon, onde liderou a unidade ocidental de negócios da empresa por um período de seis anos consecutivos. John se aposentou da Avon em 2005.

John é afiliado de longa data da Associação de Vendas Diretas (*Direct Selling Association*) e da Fundação Educacional de Vendas Diretas, e hoje atua como membro do conselho de ambas as organizações. Em 1997, essa fundação reconheceu suas contribuições com a mais alta honraria, o "Circle of Honor Award".

Ao longo dos últimos anos, John continuou a criar várias estruturas organizacionais através das quais sua consultoria e liderança continuam mantendo o foco em empreendedorismo, educação e soluções. Em 2006, assumiu o cargo de editor-chefe do jornal *Venda Direta* (*Direct Selling News*), a publicação de comércio que serve a indústria de venda direta, onde ele agora leva seu conhecimento e discernimento para os líderes da indústria (www.directsellingnews.com). Desde 2008, ele é o diretor executivo da SUCESS Foundation, uma organização sem fins lucrativos dedicada a ajudar os adolescentes a aprenderem habilidades críticas de desenvolvimento pessoal, para que, assim, eles possam alcançar todo o seu potencial (www.SUCCESSFoundation.org). John também é autor de The One Course, que fornece instruções sobre como construir uma vida bem-sucedida usando os princípios da arquitetura (www.theonecourse.com).

Kim Kiyosaki

Com paixão por educar as mulheres sobre dinheiro e investimentos, Kim Kiyosaki se baseia em uma vida inteira de experiência em negócios, imóveis e investimentos na missão de apoiar a educação financeira. Kim foi convidada especial nos programas *Larry King Show*, *FOX News* e *A Brave Heart View Internet Television* e é a anfitriã do programa *Mulher Rica*, da rede pública de televisão PBS. Recentemente, Kim foi apresentada como defensora de educação financeira na revista *Essence* e é colunista da WomanEntrepreneur.com.

Kim é uma milionária *self-made* e é bem casada (mas ferozmente independente). Seu primeiro livro, *Mulher rica*, entrou para a lista dos *mais vendidos* da *Business Week* no mês em que foi lançado. *Mulher Rica* é um *best-seller* em vários países do mundo, incluindo México, África do Sul, Índia, Austrália, Nova Zelândia e em toda a Europa. Donald Trump disse sobre *Mulher Rica*: "Este livro é leitura obrigatória para todas as mulheres. Hoje, mais do que nunca, as mulheres precisam ser financeiramente mais experientes."

Mulher Rica também entrou na Lista de Leitura de Verão de Donald Trump, em 2009.

Kim tem usado o fórum internacional de *Rich Woman* para mostrar as surpreendentes estatísticas relativas a mulheres e dinheiro, e no site www.richwoman.com ela criou uma comunidade interativa on-line na qual as mulheres podem aprender e crescer.

Kim Kiyosaki e seu marido, Robert Kiyosaki, sabem como é a situação de crise financeira que muitos americanos estão enfrentando. Na década de 1980, eles eram sem-teto, desempregados e tinham mais de US$400 mil em dívidas. Naquele momento difícil, eles criaram e seguiram uma fórmula de 10 passos simples para sair da dívida ruim. Eles compartilham essa fórmula no popular CD *Como Saímos das Dívidas Ruins*. Hoje, são empresários de sucesso e autores best-sellers.

Além disso, Robert e Kim Kiyosaki criaram o jogo de tabuleiro CASHFLOW, em 1996, para ensinar as estratégias financeiras e de investimento que seu Pai Rico passou anos lhe ensinando. Foram essas mesmas estratégias que lhes permitiram aposentar-se mais cedo. Hoje, há milhares de Clubes CASHFLOW em todo o mundo.

Em 1997, Kim e Robert fundaram a Companhia Pai Rico. A empresa lançou a mensagem e a missão Pai Rico® de alfabetização financeira – através de livros, jogos e outras ferramentas educacionais – e obteve reconhecimento e aclamação internacional.

"Muitas mulheres, especialmente quando envelhecem, se veem em situação financeira temerária – devido ao divórcio, à morte de um cônjuge ou simplesmente à falta de planejamento. O problema é que muitas não foram instruídas sobre dinheiro e investimentos. A educação financeira não diz respeito a comprar um seguro de carro ou economizar centavos no supermercado. Eu acho que nós, mulheres, somos um pouco mais inteligentes do que isso. As mulheres precisam assumir o controle das próprias finanças, em vez de cruzar os dedos esperando que alguém cuide de nosso futuro financeiro."

Introdução

A economia do mundo está em frangalhos, seu emprego está ameaçado, se você ainda tem um. E você sabe o que mais? Venho dizendo isso há anos.

Foi preciso um colapso financeiro global para que muitos prestassem atenção nisso. Mas este livro não é sobre como ou por que tudo desmoronou. É sobre o porquê de essas notícias ruins poderem tornar-se muito boas – desde que você saiba o que fazer a respeito.

Eu aprendi sobre negócios com duas pessoas: meu pai, que era muito bem-formado academicamente, além de um alto funcionário do governo, e o pai de meu melhor amigo, que estudou até a oitava série e era um milionário *self-made*. Meu verdadeiro pai passou por problemas financeiros a vida toda e, ao morrer, tinha pouco a mostrar por seus longos anos de trabalho árduo; o pai do meu melhor amigo se tornou um dos homens mais ricos do Havaí.

Passei a pensar nesses dois homens como meu "pai pobre" e meu "pai rico". Eu amava e admirava muito meu pai de verdade, e prometi que iria ajudar o maior número de pessoas possível para que elas não sofressem os tipos de indignidade e fracassos que assolaram o caminho de meu pai pobre.

Depois que saí de casa, passei por todo tipo de experiência. Servi na Marinha como piloto de helicóptero de combate no Vietnã. Fui trabalhar para a Xerox, começando como seu pior vendedor e saindo, quatro anos mais tarde, como o melhor. Criei vários negócios internacionais multimilionários, após sair da Xerox, e fui capaz de me aposentar com a idade de 47 anos e prosseguir com minha paixão de ensinar os outros a construir riqueza e ter a vida com que sonham, em vez de se contentar com a mediocridade e a resignação sombria.

Em 1997, escrevi sobre minhas experiências em um pequeno livro. Devo ter tocado um ponto sensível para meus leitores: *Pai Rico Pai Pobre* saltou para o topo da lista do *The New York Times* e ficou lá por mais de quatro anos, e tem sido descrito como "o livro de negócios mais vendido de todos os tempos".

Desde então, publiquei uma série de livros *Pai Rico* e embora tenham focos um pouco diferentes, todos oferecem a mesma exata mensagem do primeiro livro e é a mensagem essencial deste livro que você agora tem em mãos:

Assuma a responsabilidade por suas finanças ou se acostume a receber ordens pelo resto da vida. Ou você é o dono do dinheiro ou escravo dele. A escolha é sua.

Tive a incrível sorte de contar com experiências e mentores que me mostraram como construir riqueza genuína. Como resultado, fui capaz de me aposentar e estar isento de qualquer necessidade de trabalhar outra vez na vida. Até aquele momento, eu trabalhava para construir o futuro da minha família. Desde então, tenho trabalhado para ajudar a construir o *seu futuro*.

Nos últimos 10 anos, dediquei a vida a encontrar as maneiras mais eficazes e práticas para ajudar as pessoas a transformarem sua vida no século XXI ensinando-as a construir riqueza genuína. Por meio de nossos livros *Pai Rico*, meus sócios e eu temos escrito sobre diversos tipos e formas de empreendimentos e investimentos. Mas, durante todos esses anos de intensa pesquisa, cruzei com um modelo de negócios em particular que acredito conter a melhor promessa para um número maior de pessoas obter o controle de sua vida financeira, de seu futuro e de seu destino.

Mais uma coisa. Quando digo riqueza *genuína*, não estou falando de dinheiro somente. O dinheiro é parte disso, mas não é tudo. A construção de riqueza genuína diz respeito tanto ao *construtor* quanto ao *resultado*.

Neste livro, vou mostrar por que você precisa construir o próprio negócio – e qual exatamente o tipo de negócio. Mas isso não é apenas sobre alterar o tipo de negócio com o qual você está trabalhando hoje; é também sobre a mudança em você. Posso mostrar-lhe como encontrar o que você precisa para desenvolver o negócio perfeito, mas, para que funcione, você terá de se desenvolver também.

Bem-vindo ao negócio do século XXI!

Sumário

Parte III
Seu futuro começa agora

Parte I

Assuma o controle do seu futuro

Por que você precisa ter um negócio próprio

Capítulo 1

As regras mudaram

Vivemos em tempos conturbados. Os últimos anos foram um desfile constante de medo e pânico nas manchetes, nas salas de reuniões e nas mesas de cozinhas em vários lugares do mundo. Globalização, *outsourcing*, *downsizing*, execução de hipotecas, *subprime*, derivativos tóxicos, esquemas de Ponzi, fiascos no mercado financeiro, recessão... uma notícia ruim após outra.

O declínio galopante do emprego remunerado é uma epidemia à qual poucos estão imunes. De executivos a gerentes de nível médio, de colarinhos-brancos até colarinhos azuis, de banqueiros a funcionários do comércio, todos estão em risco. Mesmo a indústria de cuidados de higiene pessoal, que até recentemente era considerada uma zona de trabalho segura, já começou a reduzir significativamente a força de trabalho.

No outono de 2008, nos Estados Unidos, um fundo de aposentadoria perdeu, de repente, metade do valor – ou mais. O mercado imobiliário despencou. O que as pessoas acreditavam que eram ativos sólidos, confiáveis, acabou por ser tão sólido quanto vapor de água. A segurança no emprego não existe mais; é coisa do passado.

É claro que você já sabe tudo isso. Mas aqui está o que você talvez não saiba: *nada disso é realmente novo*. Claro, foi preciso uma grande crise econômica para as pessoas começarem a acordar para o fato de que seus meios de sobrevivência estavam em risco. Mas suas fontes de renda não se tornaram arriscadas da noite para o dia – sempre estiveram ameaçadas.

Muitas pessoas vivem há anos no fio da navalha, entre solvência e ruína, baseando-se no próximo salário para atender às despesas de cada mês, normalmente apenas com um colchão muito fino de dinheiro na poupança – ou, o que ocorre com mais frequência, sem colchão algum. O salário é chamado de "trocar seu tempo por dinheiro" e, durante uma recessão, é a fonte de renda menos confiável que existe. Por quê? Porque, quando o número de pessoas empregadas começa a cair, há menos renda disponível em circulação para pagar pelo seu tempo.

Eu avisei

Eu avisei. Venho avisando isto há anos: não há mais essa coisa de emprego seguro. Muitas empresas de hoje são dinossauros do século XX, cambaleantes à beira da extinção, e a única maneira de você ter um futuro realmente seguro é assumir o controle desse futuro.

Eis o que escrevi em 2001, em um livro intitulado *The Business School for People Who Like Helping People:*

> *Em minha opinião, os Estados Unidos e muitos países ocidentais estão à beira de um desastre financeiro iminente, causado pelo fracasso do sistema educacional em oferecer um programa de educação financeira realista para seus estudantes.*

Nesse mesmo ano, em uma entrevista para a Nightingale-Conant, eu disse:

> *É a sua aposentadoria que você está apostando se você acredita que os fundos de investimentos estarão lá para você, ou se quiser apostar a vida nos altos e baixos do mercado de ações. O que acontece se o mercado de ações subir e, em seguida, começar a desabar novamente quando você estiver com 85 anos? Você não tem controle. Não estou dizendo que os fundos sejam ruins. Só estou dizendo que não são seguros e não são inteligentes, e eu não apostaria meu futuro financeiro neles.*
>
> *Nunca antes na história do mundo tanta gente tem apostado a aposentadoria no mercado financeiro. Isso é insano. Você acha que a previdência social estará lá para cuidar de você? Então, você também acredita no coelhinho da Páscoa.*

E, em uma entrevista que concedi em março de 2005, eu disse:

> *A principal força de um ativo papel é sua liquidez – e é também sua principal fraqueza. Nós todos sabemos que haverá mais um crash do mercado que vai nos tirar tudo de novo. Por que você compraria ativos de papel?*

Então, o que aconteceu? Houve outro crash do mercado e muitas pessoas ficaram sem nada. Por quê? Porque nosso modelo mental e nossos hábitos nos aprisionam.

Em 1971, a economia americana saiu do padrão-ouro. A propósito, isso aconteceu sem a aprovação do Congresso, mas o importante é que aconteceu nos Estados Unidos e em vários países do mundo. Por que isso é significativo? Porque abriu o caminho para que passássemos a imprimir cada vez mais dinheiro, tanto quanto quiséssemos, sem que as moedas estivessem atreladas a qualquer valor real.

Esse afastamento da realidade abriu as portas para o maior boom econômico da história. Nas três décadas e meia seguintes, a classe média americana explodiu. Com o dólar desvalorizado e o preço de venda dos imóveis e outros ativos inflados, pessoas comuns se tornaram milionárias. De repente, o crédito estava disponível para qualquer pessoa, a qualquer hora, em qualquer lugar, e cartões de crédito começaram a aparecer como cogumelos depois de uma chuva de primavera. Para o pagamento dos cartões de crédito, os americanos começaram a usar suas casas como ATMs, refinanciando e emprestando, refinanciando e emprestando.

Afinal de contas, imóveis sempre continuam a subir em valor, certo?

Errado. Por volta de 2007, havíamos bombeado tanto ar quente quanto possível nesse balão financeiro, mas a fantasia desabou, trazendo-o de novo à terra firme. E não foi apenas Lehman Brothers e Bear Stearns que entraram em colapso. Milhões perderam as previdências privadas, as pensões e os empregos.

O número de pessoas que vivem oficialmente abaixo da linha da pobreza está aumentando rapidamente. O número de pessoas que estão trabalhando além da idade de 65 anos está aumentando.

Na década de 1950, quando a General Motors era a empresa mais poderosa da América, a imprensa pegou uma declaração do presidente da GM e transformou-a em um slogan que funcionou por décadas: "Para onde vai a GM, vai a nação." Bem, pessoal, essa não pode ser uma boa notícia porque, em 2009, enquanto escrevo este livro, a GM está indo para a falência e, nesse mesmo verão, o estado da Califórnia estava pagando suas contas com promissórias, em vez de dinheiro.

No momento, a porcentagem de americanos que possuem casas está caindo. As execuções de hipotecas nunca foram tão altas. O número de famílias de classe média está caindo. Os saldos das contas de poupança estão menores, quando existem, e a dívida das famílias é maior. O número de pessoas vivendo abaixo da linha da pobreza está aumentando rapidamente. O número de pessoas que estão trabalhando além dos 65 anos está aumentando. O número de novas falências está nas alturas. E muitos americanos não têm dinheiro suficiente para se aposentar.

Todas essas notícias ruins chamaram sua atenção? Claro que sim. Ótimo! Agora você despertou para o que está acontecendo, e a coisa não é bonita. Portanto, vamos nos aprofundar e ver o que realmente isso significa – e o que é possível fazer.

É um novo século

Quando eu era criança, meus pais me ensinaram a mesma fórmula de sucesso que você provavelmente aprendeu: vá para a escola, estude muito e tire boas notas para que possa conseguir um trabalho seguro, bem remunerado, com benefícios – e seu trabalho vai cuidar de você.

Mas isso é pensamento da Era Industrial, e não estamos mais na Era Industrial. Seu trabalho *não* vai cuidar de você. O governo *não* vai tomar conta de você. *Ninguém* vai cuidar de você. É um novo século, e as regras mudaram.

Meus pais acreditavam em estabilidade no emprego, em fundos de pensões de empresas, seguridade e previdência social. Isso tudo já era; são ideias obsoletas que sobraram de uma era que já acabou. Hoje, segurança no trabalho é uma piada, e a própria ideia de emprego vitalício em uma única empresa – um ideal tão orgulhosamente defendido pela IBM em seu auge – é tão anacrônica quanto uma máquina de escrever manual.

Muitos pensavam que seus planos de previdência estavam seguros. Ora, eles se baseavam em ações de primeira linha *(blue-chips)* e fundos de investimentos, o que poderia dar errado? Como se viu, *tudo* poderia dar errado. A razão pela qual essas vacas sagradas de outrora já não dão mais leite é que *todas* elas estão obsoletas: fundos de pensões, segurança no trabalho, segurança da aposentadoria – é tudo forma de pensar da Era Industrial. Estamos na Era da Informação agora, e precisamos usar o pensamento desta era.

Felizmente, as pessoas estão começando a ouvir e aprender. É uma vergonha que seja preciso sofrimento e dificuldades para aprender, mas pelo menos está acontecendo. Cada vez que passamos por uma crise imensa – o estouro da bolha pontocom, o rescaldo econômico do 11 de Setembro, o pânico financeiro de 2008 e a recessão de 2009 –, mais pessoas percebem que as redes de segurança não existem mais.

O mito corporativo acabou. Se você passou anos subindo a escada corporativa, já parou para observar a vista? Que vista, você pergunta? A extremidade traseira da pessoa que está na sua frente. Isso é o que você olha à sua frente. Se essa é a vista que você quer manter para o resto da vida, então este livro provavelmente não é para você. Mas se você está cansado de olhar para o traseiro de outra pessoa, então continue a ler.

Não seja enganado novamente

Enquanto escrevo isto, o desemprego continua a aumentar. Quando você estiver *lendo* estas palavras, quem sabe? A situação pode ter mudado. Não se deixe enganar. Quando os valores dos empregos e dos imóveis mudarem e o crédito for novamente liberado, por que inevitavelmente isso acontecerá, não se iluda com aquele antigo sentimento de falsa segurança que já colocou você e o resto do mundo nesta bagunça.

Nós não somos enganados apenas uma vez; deixamo-nos enganar repetidamente. Todos nós crescemos ouvindo a fábula da cigarra e da formiga, mas a esmagadora maioria de nós continua vivendo com a visão de futuro da cigarra.

Não se deixe distrair pelas manchetes. Há sempre alguma notícia idiota em curso para tentar desviar sua atenção do negócio sério de construção de sua vida. É só barulho. Quer se trate de terrorismo, de recessão ou do mais recente ciclo de escândalo político, nada disso tem a ver com o que você precisa fazer hoje para construir seu futuro.

Durante a Grande Depressão, muitas pessoas fizeram fortunas. E durante os tempos de maior crescimento, como a onda imobiliária dos anos 1980 nos Estados Unidos, milhões e milhões de pessoas se esqueceram de cuidar de seu futuro, ignoraram tudo que vou compartilhar com você neste livro e acabaram em dificuldades ou quebraram. A maioria delas, de fato, ainda está nessa situação.

A economia não é a questão. A questão é *você.*

Você está com raiva da corrupção? Do sistema financeiro e dos grandes bancos que deixaram isso acontecer? Do governo, por não fazer o suficiente ou por fazer demais das coisas erradas, e não o suficiente das coisas certas? Você está com raiva de si mesmo por não ter controle sobre sua vida?

A vida é dura. A pergunta é: o que vai fazer a respeito disso? Reclamar não vai garantir seu futuro, muito menos culpar o sistema financeiro, as empresas ou o governo.

Se quer um futuro sólido, é preciso criá-lo. Você só poderá controlar seu futuro quando assumir o controle de sua *fonte de renda*. Você precisa de um negócio próprio.

Capítulo 2

O lado positivo

Em 13 de julho de 2009, a revista *TIME* publicou uma entrevista comigo que chamaram de "10 Perguntas para Robert Kiyosaki". Uma das perguntas que me foi feita: "Existem oportunidades para a criação de novas empresas nesta economia turbulenta?"

"Você está de brincadeira?", essa foi minha primeira reação. Eis como respondi:

> *Este é o melhor momento. Os verdadeiros empresários agem quando os tempos estão ruins. Eles realmente não se importam com as oscilações do mercado. Estão sempre em busca de melhores produtos e melhores processos. Então, quando alguém diz: "Poxa, há menos oportunidades agora", é porque essa pessoa é perdedora.*

Você tem ouvido uma imensa quantidade de notícias ruins sobre economia. Está pronto para a boa notícia? Na verdade, a má notícia *é* a boa notícia. Eu lhe direi a mesma coisa que disse à revista *TIME*: *Uma recessão é o melhor momento para iniciar o próprio negócio.* Quando a economia desacelera, o empreendedorismo se aquece como um fogão a lenha em uma noite fria de inverno.

> *Questão: O que os impérios Microsoft e a Disney têm em comum, além do fato de que são empresas extremamente bem-sucedidas, de bilhões de dólares, e que se tornaram marcas conhecidas?*

Resposta: Ambos surgiram durante a recessão.

De fato, mais da metade das empresas que compõem o índice da Bolsa de Nova York, o Dow Jones Industrial, surgiu durante uma recessão.

Por quê? Simples: durante uma incerteza econômica, as pessoas se tornam criativas. Elas saem de suas zonas de conforto e tomam a iniciativa de se ajustar às suas despesas. É o melhor do velho empreendedorismo. Em épocas de fraqueza, os fortes emergem.

O momento de novas oportunidades ocorre em tempos econômicos difíceis. Cinco anos atrás, quando o valor dos imóveis estava em alta e havia crédito abundante, ninguém passava fome. As pessoas estavam satisfeitas, alimentadas, sentiam-se seguras e poucas foram à procura de qualquer meio alternativo de renda. Os funcionários não estavam preocupados com a estabilidade financeira de seus empregadores e uma demissão não fazia parte de seus planos futuros.

Mas, agora que o ritmo das demissões está desenfreado e todo mundo está preocupado com o que o futuro nos reserva, milhões de pessoas estão reavaliando suas finanças com seriedade e percebendo que, se quiserem contar com um futuro seguro, terão de criar um Plano B. Hoje, as pessoas estão mais ávidas do que nunca por ganhar dinheiro extra e, por causa disso, estão mais receptivas e mais inclinadas a abrir sua mente para novas ideias.

De fato, isso já era uma realidade mesmo *antes* do recente colapso econômico. Desde os anos 1980 e, especialmente, desde a virada do século, o anseio por controlar nosso próprio futuro econômico já estava florescendo. Eis o que a Câmara de Comércio dos Estados Unidos disse, em um relatório de 2007, intitulado "Trabalho, Empreendedorismo e Oportunidades na América do Século XXI": "Milhões de americanos estão abraçando o empreendedorismo, administrando as próprias pequenas empresas."

Dos americanos adultos, 72% prefeririam estar administrando o próprio negócio a serem empregados de alguém e 67% pensam, "com regularidade" ou "constância", em largar seu emprego.

Bem, não sou economista, mas conheço alguém que é: Paul Zane Pilzer.

Paul é um prodígio. Ele foi o mais jovem vice-presidente do Citibank e deixou o mundo financeiro para fazer milhões com o próprio negócio. Esteve algumas vezes na lista de best-sellers do *The New York Times*, previu a crise de poupança e empréstimos antes que acontecesse e atuou como assessor econômico em duas administrações presidenciais. É alguém que vale a pena ouvir.

Segundo ele, os valores culturais sobre a forma de se conduzir uma carreira sofreram uma mudança de 180 graus, com a estrutura corporativa convencional de se tornar um empregado dando lugar ao caminho empresarial.

"A sabedoria tradicional na segunda metade do século XX", diz Paul, "era ir à escola, ter uma boa educação e trabalhar para uma grande empresa. A ideia de abrir um negócio, na maioria das vezes, era considerada arriscada. Admirável talvez, mas arriscada... e, talvez, um pouco doida. Hoje ocorre justamente o oposto".

Paul está certo. O relatório da Câmara de Comércio que mencionei anteriormente também cita uma pesquisa realizada pelo Instituto Gallup que constatou que 61% dos americanos prefeririam ser o próprio patrão. Outra pesquisa, dessa vez efetuada pela empresa Decipher, de Fresno, descobriu que 72% de todos os adultos americanos prefeririam trabalhar para si a fazê-lo para outras pessoas e 67% pensam em desistir de seus empregos "regularmente" ou "constantemente".

E não se trata apenas de *ganhar* a vida; também se trata da *qualidade* de como estamos vivendo. As pessoas estão acordando para o fato de que querem ter mais controle sobre sua vida. Elas querem estar mais ligadas às suas famílias, controlar o próprio tempo, trabalhar em casa, determinar o próprio destino. Nesse estudo da Decipher, 84% dos entrevistados disseram que teriam mais paixão pelo seu trabalho se possuíssem o próprio negócio. A razão número um, segundo a pesquisa, para querer trabalhar para si próprio? "Ter mais paixão pela minha vida profissional."

O que ocorre é que o mito do século XX, da segurança de trabalho, com sua promessa de que o caminho para uma vida plena, longa e feliz era encontrar um bom emprego, está se desfazendo diante de nossos olhos.

O mito do emprego

A maioria de nós é tão alienada por conta das circunstâncias que acaba achando que ser empregado é algo normal. Longe de ser historicamente "normal", esse conceito é, na verdade, um fenômeno relativamente recente.

Na Era Agrária, a maioria das pessoas era empreendedora. Sim, eram fazendeiros que trabalhavam nas terras do rei, mas não eram empregados dele. Não recebiam um salário do rei. Na verdade, era o contrário: o fazendeiro pagava ao rei um imposto pelo direito de usar sua terra. Esses fazendeiros, na verdade, ganhavam a vida como empresários de pequenas empresas.

Somente durante a Era Industrial surgiu uma demanda crescente: a demanda por empregados. Em resposta, o governo assumiu a tarefa da educação de massa, adotando o sistema prussiano, que até hoje modela os sistemas escolares ocidentais no mundo.

Você já se perguntou de onde veio a ideia de aposentadoria aos 65 anos? Eu lhe digo de onde: Otto von Bismarck, presidente da Prússia, em 1889. Na verdade, o plano de Bismarck era de 70 anos, não 65, mas isso pouco importa. Prometer a seus idosos uma pensão garantida após os 65 anos não representou risco econômico para o governo de Bismarck: na época, a expectativa média de vida na Prússia era algo como 45 anos. Hoje, são tantas as pessoas que estão ultrapassando os 80 anos que a mesma promessa pode muito bem levar qualquer governo federal à falência já na próxima geração.

Quando se analisa a filosofia por trás da educação na Prússia, percebemos que o objetivo era produzir soldados e empregados, pessoas que seguiriam ordens e fariam o que lhes fosse dito. O sistema prussiano serve para a produção em massa de empregados.

Nos Estados Unidos dos anos 1960 e 1970, empresas como a IBM fizeram o "emprego para toda a vida" se tornar o padrão-ouro de segurança no trabalho. Mas o emprego na IBM atingiu o pico em 1985, e todo o conceito de carreira corporativa sólida e confiável vem diminuindo desde então.

"Para onde vai a General Motors, vai a América...", diz o ditado. Aqui estamos nós, meio século depois, e as coisas não estão indo tão bem assim para a GM. Isso significa que os Estados Unidos estão condenados? Não, mas eis o que está condenado: o mito da segurança corporativa.

A febre do empreendedorismo

Não estou dizendo que ser um empregado é uma coisa ruim. Só estou dizendo que é apenas uma forma de gerar renda e é extremamente limitada. O que acontece é que só recentemente as pessoas estão despertando para esse fato. Essas pessoas – você inclusive – estão percebendo que a única maneira de se conseguir o que realmente se quer da vida é fincar o pé no caminho do empreendedorismo.

A propósito, não sou o único que percebe isso. Você pode ter ouvido ou não falar de Muhammad Yunus, autor de *O banqueiro dos pobres*, mas o comitê do Prêmio Nobel, em Oslo, Noruega, já ouviu falar dele. Deram-lhe o Prêmio Nobel da Paz em 2006, por seu conceito de microcrédito para empreendedores do Terceiro Mundo. "Todas as pessoas são empreendedoras", diz Yunus, "mas muitas não têm a oportunidade de descobrir isso".

A febre empreendedora está nas alturas porque, quando a economia desacelera, a atividade empresarial se aquece. Na verdade, o empreendedorismo *floresce* em tempos de crise.

Ele disse que, *antes* de a economia começar a despencar em 2008, na esteira de todas as notícias financeiras ruins, cada vez mais pessoas já estavam procurando ativamente a oportunidade de fazer exatamente o que o Sr. Yunus está falando.

A febre empreendedora está nas alturas porque, quando a economia desacelera, a atividade empresarial se aquece. Na verdade, o empreendedorismo *floresce* em tempos de crise. Em tempos de incerteza, buscamos outras formas de gerar renda. Quando sabemos que não podemos contar com os empregadores, começamos a olhar para nós mesmos. Começamos a pensar que talvez seja a hora de sairmos da zona de conforto e sermos criativos para que as contas fechem no final do mês.

Um levantamento feito pelo banco central americano, o Federal Reserve, mostrou que o patrimônio líquido médio dos domicílios de empresários é cinco vezes maior do que o dos trabalhadores convencionais. Isso significa que os empresários têm cinco vezes mais chances de sair da crise ilesos e até mais fortes do que antes, porque criaram *a própria economia vigorosa*.

Uma pesquisa recente constatou que a maioria dos eleitores dos Estados Unidos vê o empreendedorismo como a chave para resolver a atual crise econômica. "A história tem demonstrado repetidamente que novas empresas e empreendedorismo são o caminho para fortalecer uma economia com problemas", disse o diretor executivo da pesquisa.

Descobriram o óbvio!

Talvez essa "maioria dos eleitores", que diz acreditar nisso, tire seu traseiro do sofá e venha a fazer algo. É possível, embora eu não aposte nisso. Neste instante, a economia que estou mais interessado em ver florescer, por meio do empreendedorismo, é a *sua*.

Estes podem ser momentos econômicos difíceis para a maioria, mas, para alguns empreendedores – aqueles que têm uma mente suficientemente aberta para entender o que vou explicar nos próximos capítulos –, estes são tempos prolíficos de potencial econômico. Não só é a hora de ter o próprio negócio, como também nunca houve um tempo melhor do que agora, hoje.

Como eu disse, quando as coisas ficam difíceis, quem tem tenacidade, quem é obstinado, vai em frente. E, se isso é verdade – e é –, então restam apenas duas perguntas.

Primeira: Você está disposto a ser obstinado?

E, se sua resposta for "sim", então a questão 2 é: Seguir em frente fazendo o quê?

Não posso responder àquela primeira pergunta por você, mas sei exatamente como responder à segunda. Responder a essa pergunta é o principal objetivo deste livro.

Capítulo 3

Onde você vive?

Então, você tem trabalhado muito nos últimos anos, galgando a escada organizacional. Talvez ainda esteja nos primeiros degraus ou talvez esteja bem próximo do topo. Onde você se encontra, isso realmente não importa. O que realmente importa é a pergunta que você provavelmente se esqueceu de fazer nesse tempo todo em que se esforçava para escalá-la: Onde a escada está apoiada?

Como diria Stephen R. Covey, não importa o quão rápido ou quão alto você sobe nessa escada se ela estiver recostada no tipo errado de muro.

A proposta deste capítulo é que você interrompa a escalada por um minuto e veja onde sua escada está apoiada. E, se não está feliz com esse lugar, tente descobrir para onde você quer movê-la.

Como você faz dinheiro?

A maioria das pessoas assume que sua posição financeira é definida pelo quanto elas ganham, quanto valem ou alguma combinação das duas coisas. E não há dúvida de que isso faz algum sentido. A revista *Forbes* define uma pessoa "rica" como alguém que ganha mais de $1 milhão por ano ($83.333 por mês ou pouco mais de $20 mil por semana) e "pobre" como alguém que ganha menos de $25 mil por ano.

Mas uma coisa ainda mais importante do que a quantidade de dinheiro que você faz é a *qualidade* desse dinheiro. Em outras palavras, não importa apenas o quanto você faz, mas como faz – ou seja, de onde o dinheiro vem. Existem *quatro fontes distintas* de fluxo de caixa. Cada uma delas é distinta das outras e cada uma delas define e determina um estilo de vida muito diferente, não importa a quantidade de dinheiro que você ganhe.

Após publicar *Pai Rico Pai Pobre*, escrevi um livro para explicar esses quatro mundos diferentes de geração de receitas. Muitas pessoas disseram que esse livro, *O Quadrante Cashflow*, é o mais importante que escrevi porque vai direto ao cerne de questões cruciais para as pessoas que estão preparadas para fazer mudanças verdadeiras em sua vida.

O *quadrante cashflow* representa os diferentes métodos para se gerar fluxo de caixa. Por exemplo, um *empregado* ganha dinheiro por ter um emprego e trabalhar para alguém ou alguma empresa. As pessoas *autônomas* são aquelas que ganham dinheiro trabalhando para si próprias, seja como operadores únicos, seja por meio de uma pequena empresa.

O *dono de uma empresa* possui um grande negócio (tipicamente definido como uma empresa com 500 empregados ou mais) que gera dinheiro. *Investidores* ganham dinheiro com seus vários investimentos – em outras palavras, dinheiro gerando mais dinheiro.

E = **E**mpregado.

A = **A**utônomo ou pequenas empresas.

D = **D**ono de uma empresa.

I = **I**nvestidor.

Em qual quadrante você vive? Em outras palavras, de qual quadrante recebe a maior parte das receitas com as quais vive?

O quadrante E

A esmagadora maioria de nós aprende, vive, ama e morre inteiramente dentro do quadrante E. Nossa cultura e sistema educacional nos treinam, desde o berço até o túmulo, a viver no mundo do quadrante E.

A filosofia de funcionamento para este mundo é o que meu Pai Pobre – meu verdadeiro pai – me ensinou e o que você, também, provavelmente aprendeu enquanto crescia: vá para a escola, estude muito, tire boas notas e consiga um bom emprego, com benefícios, em uma grande empresa.

O quadrante A

Impulsionadas pela ânsia de mais liberdade e autodeterminação, muitas pessoas migram do quadrante E para o quadrante A. Este é o lugar para onde as pessoas vão em busca de sucesso e realização de seus sonhos.

O quadrante A engloba uma gama enorme de formas de se adquirir renda, desde a babá e o paisagista adolescentes, apenas começando a vida, até o advogado, consultor ou palestrante altamente remunerados.

Mas esteja você ganhando $8 por hora ou $80 mil ao ano, o quadrante A é tipicamente uma armadilha. Você pode ter pensado que estaria "demitindo seu chefe", mas o que realmente aconteceu é que apenas mudou de patrão. Você ainda é um empregado. A única diferença é que, quando quer culpar seu chefe por seus problemas, esse chefe é você.

O quadrante A pode ser um lugar ingrato e difícil para se viver. Todo mundo *pega no seu pé*. O governo atormenta você, que passa um dia inteiro por semana apenas no cumprimento das obrigações fiscais. Seus empregados, seus clientes e sua família o atormentam, porque você nunca tira férias. Como conseguir algum tempo livre? Se você fizer isso, perde terreno. Se tirar uma folga, a empresa não ganha dinheiro.

De uma forma muito real, o A significa escravidão: você realmente não é dono do próprio negócio; seu negócio é que é seu dono.

O quadrante D

O quadrante D é o lugar ao qual as pessoas vão para criar grandes empresas. A diferença entre uma empresa A e uma empresa D é que você trabalha para seu negócio A, enquanto seu negócio D trabalha para você.

Tenho muitas empresas D, incluindo minhas fábricas, imóveis, empresas de mineração, entre outras.

Aqueles que vivem e trabalham no quadrante D tornam-se à prova de recessão, porque controlam a fonte da própria renda.

O quadrante I

Não é realmente um grande mistério. Meu Pai Rico me ensinou a viver no Quadrante I jogando Banco Imobiliário, e todos sabemos como funciona: quatro casas verdes, um hotel vermelho.

Mudança de emprego não é mudança de quadrante

Permita-me agora explicar por que é tão importante entender esses quatro quadrantes diferentes. Com que frequência você ouviu pessoas reclamarem de seus empregos, fazerem mudanças e, alguns anos depois, continuarem com as mesmas reclamações?

Eu continuo trabalhando pesado, mas não consigo avançar.

Toda vez que recebo um aumento, ele é consumido pelos impostos e por aumento de despesas.

Eu preferiria estar fazendo [preencha a lacuna em branco], mas não posso me dar ao luxo de voltar à escola e aprender uma nova profissão nesta fase da vida.

Este trabalho é horrível! Meu chefe é um idiota! A vida é uma droga! (Etc.)

Essas e dezenas de outras declarações desse tipo revelam uma pessoa que está presa – presa não a determinado trabalho, mas a um quadrante inteiro. O problema é que, na maioria das vezes, quando as pessoas tomam a iniciativa de realmente fazer uma mudança em sua vida, tudo que elas fazem é mudar de emprego. E o que precisam fazer é mudar de quadrante.

Romper com as típicas estruturas de trabalho e criar o próprio fluxo de renda coloca você na melhor posição possível para enfrentar uma tempestade econômica, porque você não depende de um chefe ou da economia para determinar sua renda anual. *Você é* quem a determina.

O lado esquerdo – os quadrantes E e A – é onde a maioria das pessoas vive. É para onde somos educados e treinados a viver. "Tire boas notas, assim você pode conseguir um bom emprego", isso é o que nos dizem.

Mas suas notas pouco importam no quadrante D. O gerente de banco não pede para ver seu currículo acadêmico; ele quer ver seu balanço financeiro.

Romper com as típicas estruturas de trabalho e criar o próprio fluxo de renda coloca você na melhor posição possível para enfrentar uma tempestade econômica, porque você não depende de um chefe ou da economia para determinar sua renda anual. *Você* é quem a determina.

Pelo menos 80% da população vivem no lado esquerdo da figura dos quadrantes. O quadrante E, principalmente, é onde nos ensinaram que encontraríamos proteção e segurança. Mas, ao contrário, é no lado direito – os quadrantes D e I – que a liberdade reside. Se você quer viver desse lado, pode fazer isso acontecer. Mas se o que quer é a segurança relativa do lado esquerdo, então talvez o que tenho para compartilhar aqui não sirva para você. Essa é uma decisão que só você pode tomar.

Em que quadrante você vive?

Em qual quadrante quer viver?

Capítulo 4

Seus valores financeiros essenciais

Os quatro quadrantes não são apenas quatro estruturas diferentes de negócios. É muito mais acerca de quatro *mentalidades* diferentes. O quadrante que você escolhe para retirar seus rendimentos primários tem menos a ver com as circunstâncias externas – sua formação, educação, economia, aquilo que parece ser as oportunidades disponíveis a seu redor – e muito mais a ver com quem você é em essência: suas forças, fraquezas e interesses centrais.

É uma questão de seus *valores financeiros essenciais.* São essas diferenças essenciais que nos atraem ou nos repelem dos diferentes quadrantes.

É importante que isso seja compreendido porque significa que a mudança do quadrante E ou A para o quadrante D não é tão simples quanto preencher um formulário de mudança de endereço nos correios. Você não só muda o que faz, mas, de uma forma muito real, também muda *quem você é.* Ou pelo menos, *como pensa.*

Algumas pessoas podem curtir o fato de serem empregados, enquanto outras odeiam isso. Algumas pessoas adoram ser proprietárias de empresas, mas não querem administrá-las. Certas pessoas curtem investir, enquanto outras enxergam apenas o risco de perder dinheiro. A maioria de nós é um pouco de cada um desses personagens.

Também é importante notar que você pode ser rico ou pobre em todos os quatro quadrantes. Há pessoas que ganham milhões e há outras que vão à falência em cada um dos quadrantes. Não há necessariamente garantia de sucesso financeiro em nenhum dos quadrantes.

É possível dizer em qual quadrante as pessoas estão vivendo, ouvindo apenas o que dizem. Quando eu tinha 9 anos e ficava sentado ao lado de meu Pai Rico enquanto ele entrevistava as pessoas para eventuais contratações, aprendi a ouvir os principais valores das pessoas – valores que meu Pai Rico dizia que vinham de seu âmago.

Aqui estão algumas frases-chave que emergem de cada quadrante, juntamente com um resumo dos valores centrais de cada um.

Os valores do quadrante E

"Procuro um emprego seguro, com bom salário e excelentes benefícios."

Para aquele que vive no Quadrante E, o valor essencial é a *segurança*.

Você pode ser o vice-presidente de uma empresa e, ainda assim, compartilhar os mesmos valores essenciais que o faxineiro dessa empresa, que ganha um décimo de seu salário. Uma pessoa no quadrante E, independentemente de ser o zelador ou o presidente, muitas vezes pensa ou diz palavras como: "Estou procurando um emprego seguro com bons benefícios." Ou: "Quanto receberemos pelas horas extras?" Ou "Quantos feriados teremos este ano?"

Quando converso com alguém do quadrante E sobre o quanto amo começar um novo negócio, meu interlocutor pode dizer: "Sim, mas não é arriscado?" Cada um de nós vê a vida sob o prisma dos próprios valores essenciais. O que é empolgante para mim é assustador para alguém. É por isso que, quando estou na companhia de pessoas que vivem nos quadrantes E e A, costumo falar sobre tempo, esportes ou o que está passando na televisão.

Os valores do quadrante A

"Se você quer algo benfeito, faça você mesmo."

Para as pessoas que se encontram no quadrante A, o valor central é a independência. Elas querem a liberdade de fazer aquilo que desejam. Quando uma pessoa diz "Vou me demitir do meu trabalho e trabalhar por conta própria", o caminho percorrido é do quadrante E para o quadrante A.

As pessoas que se encontram no quadrante A são proprietárias de micro e pequenas empresas, especialistas e consultores. Por exemplo, tenho um amigo que instala televisores de tela grande, sistemas de telefonia e sistemas de segurança em casas de pessoas ricas. Ele tem uma equipe de três e está feliz em ser o chefe dessas pessoas apenas. Ele é um árduo trabalhador do quadrante A. Pessoas que ganham por comissão, tais como agentes imobiliários e corretores de seguros, estão no quadrante A. O quadrante A também está repleto de profissionais autônomos, como médicos, advogados e contadores que não pertencem a uma grande empresa médica, legal ou contábil.

Pessoas que vivem no quadrante A muitas vezes se orgulham de seus trabalhos manuais ou mentais. Se tivessem uma música-tema, seria "My Way".*

Ainda assim, por trás da fachada de independência, com frequência se observa uma falta de confiança na forma como essa pessoa trata seu negócio – o que também significa a abordagem com a própria vida, porque a forma como encaramos nossos negócios tende a ser a mesma com que encaramos *tudo mais*.

Um A é frequentemente pago por comissão ou pela quantidade de tempo que despende em um trabalho. Por exemplo, podemos escutar um A dizer coisas como: "Minha comissão é de 6% sobre o valor de venda." Ou "Cobro $100 por hora". Ou ainda: "Minhas taxas são custos mais 10%."

Sempre que encontro alguém dos quadrantes E ou A que está tendo dificuldade em fazer a transição para o quadrante D, costumo ver uma pessoa com grande técnica e habilidades de gestão, mas com pouca capacidade de liderança. Meu Pai Rico costumava dizer: "Se você é o líder e é também a pessoa mais inteligente dessa equipe, então sua equipe está em apuros." Pessoas no quadrante A muitas vezes não funcionam muito bem em equipes e podem até mesmo ter um pouco de problema de ego.

Para pular do quadrante A para D, é necessário realizar um salto quântico, não em habilidades técnicas, mas em habilidades de liderança. Como eu já disse muitas vezes, no mundo real os estudantes A muitas vezes trabalham para os estudantes C – e os alunos B trabalham para o governo.

Se você já se pegou dizendo: "Se você quer algo benfeito, faça você mesmo", ou se tende a pensar dessa maneira, talvez seja uma boa hora para repensar essa filosofia.

---

* *Nota da Tradutora*: Canção clássica eternizada nas vozes de Frank Sinatra e Elvis Presley, cujo título, em tradução literal, é *Do meu jeito*.

Os valores do quadrante D

"Procuro os melhores talentos para se juntarem à minha equipe."

Para as pessoas do quadrante D, o valor essencial é a *construção de riqueza.*

As pessoas que começam do nada e constroem grandes empresas no quadrante D costumam ter poderosas missões de vida, valorizar um time de excelência e um trabalho eficiente de equipe e, também, querer servir e trabalhar com o máximo possível de pessoas.

Enquanto uma pessoa no quadrante A quer ser a melhor em sua área, a pessoa do quadrante D quer construir uma equipe com outras pessoas que sejam as melhores em suas áreas. Henry Ford cercou-se de gente mais inteligente do que ele. Enquanto uma pessoa do quadrante A é muitas vezes a pessoa mais inteligente ou mais talentosa na sala, isso muitas vezes não é verdade para um empresário do quadrante D.

Quando você possui um negócio no quadrante D, muitas vezes terá de lidar com pessoas que são muito mais inteligentes, mais experientes e mais capazes do que você. Meu Pai Rico não teve educação formal, mas eu o vi lidar com banqueiros, advogados, contadores, consultores financeiros e especialistas, muitos dos quais com diplomas universitários avançados. Para levantar capital para seus negócios, ele sempre negociou com pessoas que eram muito mais ricas que ele. Se ele tivesse vivido pelo lema: "Se você quer algo benfeito, faça você mesmo", teria fracassado miseravelmente.

Quando se trata de rendimentos, uma pessoa que verdadeiramente pertence ao quadrante D pode sair da empresa e ainda receber pagamentos. Na maioria dos casos, se alguém no quadrante A para de trabalhar, a renda também deixa de fluir. Assim, agora talvez seja o momento de se perguntar: "Se eu parar de trabalhar hoje, quanto de renda continuará a entrar?" Se sua renda para em seis meses ou menos, então são boas as chances de que você esteja nos quadrantes E ou A. Uma pessoa nos quadrantes D ou I pode parar de trabalhar por anos e o dinheiro continuará a fluir.

Os valores do quadrante I

"Qual é meu retorno sobre os investimentos?"

Aquilo que as pessoas do quadrante I mais valorizam é a *liberdade financeira.* O investidor adora a ideia do dinheiro trabalhando, em vez de ele próprio trabalhar.

Os investidores investem em muitas coisas: moedas de ouro, imóveis, empresas ou ativos financeiros como ações, renda fixa e fundos de investimentos.

Se sua renda vem de um fundo de pensão de empresa ou do governo, então, em vez de seu conhecimento pessoal sobre investimentos, essa renda tem origem no quadrante E. Em outras palavras, você ainda está recebendo, pelos anos de serviço, pagamentos da empresa para a qual trabalhou.

As palavras que podemos ouvir de um investidor são: "Estou recebendo 20% de retorno sobre meus investimentos" ou "Quero ver os números da empresa", ou ainda "Quanto de despesas diferidas está envolvido na manutenção da propriedade?".

Quadrantes diferentes, investidores diferentes

No mundo de hoje, todos nós precisamos ser investidores. No entanto, nosso sistema escolar não nos ensina muito sobre como investir. Ah, sei que alguns cursos ensinam como fazer aplicações em ações, mas, para mim, isso não é investir; isso é jogo.

Anos atrás, meu Pai Rico me mostrou que a maioria dos funcionários investe em fundos de investimento ou poupança. Ele também disse: "Só porque você é bem-sucedido em um quadrante, como E, A ou D, não significa que será bem-sucedido no quadrante I. Médicos muitas vezes são os piores investidores."

Meu Pai Rico também apontou que quadrantes diferentes investem de maneiras diferentes. Por exemplo, uma pessoa no quadrante A pode ser pega dizendo: "Não quero investir em imóveis porque não quero consertar privadas."

Se você quer ser rico, *terá de se mudar*. Você não precisa de um novo emprego; precisa de *um novo* endereço.

Uma pessoa no quadrante D enfrentando o mesmo desafio talvez diga: "Quero contratar uma empresa de boa gestão de imóveis para consertar banheiros." Em outras palavras, um investidor do quadrante A pensará que ele próprio tem de fazer a manutenção de suas propriedades, enquanto um investidor do quadrante D contratará outra empresa para fazer a manutenção da propriedade por ele. Pessoas diferentes, mentalidades diferentes; quadrantes diferentes, valores diferentes.

A esta altura, você provavelmente já descobriu aonde quero chegar. Tudo se resume a uma coisa muito simples: se você quiser ficar rico, *terá de se mudar.* Você não precisa de um novo emprego; precisa de *um novo endereço.*

Se você quiser assumir o controle sobre sua vida e seu destino, se quiser a verdadeira liberdade – a liberdade de tomar decisões, de definir seu horário, de desfrutar tempo com sua família e ter tempo para si mesmo, fazendo as coisas que gosta de fazer – se você quer viver a vida que merece, sem cerceamentos, uma vida de paixão e entusiasmo e satisfação, em suma, se quer *ser rico* e *viver como tal*, então é hora de arrumar suas coisas e se mudar.

É hora de deixar o lado esquerdo do gráfico e passar para os quadrantes D e I.

Capítulo 5

A mente de um empreendedor

Após terminar a faculdade, me matriculei em uma escola tradicional de negócios com o objetivo de fazer um MBA; assim, poderia aprender a ser empreendedor. Consegui permanecer por nove meses antes de sair. Desnecessário dizer que não recebi o diploma de MBA quando desisti.

Hoje, as escolas de negócios me convidam, com frequência, para falar a seus alunos nas aulas de empreendedorismo. Não é preciso dizer que às vezes acho isso irônico.

Perguntas comuns que esses alunos me fazem: "Como posso encontrar investidores?" e "Como faço para levantar capital?". Compreendo essas dúvidas porque elas me assombraram quando deixei a segurança de um emprego tradicional e me tornei, eu próprio, um empresário. Eu não tinha dinheiro, e ninguém queria investir junto comigo. As grandes empresas de capital de risco não estavam batendo à minha porta.

Então, o que digo a esses estudantes de administração? Digo a eles: "Simplesmente, faça. Você faz porque *tem* de fazer. Caso contrário, está fora do mundo dos negócios."

Você *não* tem de levantar capital para criar seu *negócio*, porque isso já foi feito para você. Mas você tem de construir seu negócio!

"Hoje, apesar de ter bastante dinheiro, tudo que faço é levantar capital. Para um empresário, este é o trabalho principal. Levantamos capital de três grupos de pessoas: clientes, investidores e funcionários. Seu trabalho como empreendedor é fazer os clientes comprarem seus produtos. Se você conseguir que os clientes lhe deem dinheiro ao comprar seus produtos, os investidores lhe darão todo o dinheiro de que precisar. E, se você tiver funcionários, seu trabalho é fazê-los produzir e lhes dar um retorno pelo menos 10 vezes maior do que custam a você. Se você não consegue fazer seus funcionários produzirem pelo menos 10 vezes mais do que paga a eles, então está fora do mundo dos negócios e, quando isso acontece, não precisa mais levantar capital."

Esta *não* é a resposta que a maioria dos estudantes de MBA está procurando. A maioria está em busca de uma fórmula mágica, uma receita secreta, um plano rápido de negócios para enriquecer. Esta, também, não parece ser a resposta que seus instrutores esperam de mim, porque eu os vejo se contorcendo quando digo essas coisas. Por quê? Porque, ainda que eles ensinem empreendedorismo, boa parte não é empresária, razão pela qual tem um emprego estável de professor com um salário fixo.

Isso não significa que você tem de levantar capital. De fato, no modelo de negócio que compartilharei com você neste livro, não é preciso que levante capital para criar seu negócio, porque isso já foi feito para você. Mas é preciso construir seu negócio!

Creio que isso é o que define um empreendedor: você faz as coisas acontecerem. Você sai do banco de passageiros, caminha até a dianteira do ônibus e assume o volante de sua vida.

O que é necessário para ser empreendedor?

Os empresários são as pessoas mais ricas do planeta. Sabemos os nomes de empresários famosos: Richard Branson e Donald Trump, Oprah Winfrey e Steve Jobs, Rupert Murdoch e Ted Turner. Mas a maioria dos empresários ricos são pessoas sobre as quais você e eu nunca ouvimos falar, porque não querem a atenção da mídia; apenas curtem tranquilamente suas riquezas.

Muitas vezes, escuto as pessoas debaterem a seguinte questão: "Já se nasce empreendedor ou podemos desenvolver habilidades para tanto?" Alguns acreditam que é necessário ser uma pessoa especial ou ter certa magia para ser um empreendedor. Para mim, ser um empreendedor não é grande coisa; vá em frente.

Deixe-me dar um exemplo. Há uma adolescente no meu bairro que tem um negócio próspero de *baby-sitting* e que contrata colegas mais jovens da escola para trabalhar para ela. Ela é uma empreendedora. Outro menino tem um negócio de consertos caseiros, depois das aulas. Ele é um empresário. A maioria das crianças não tem medo, mas isso é tudo o que resta para a maioria dos adultos.

É preciso coragem para descobrir, desenvolver e doar seu talento para o mundo.

Hoje, existem milhões de pessoas que sonham em abandonar seus empregos e se tornar empresárias, administrando os próprios negócios. O problema é que, para a maioria das pessoas, esse sonho é apenas um sonho. Então, a questão passa a ser: por que tantos falham em conquistar o sonho de se tornar empreendedores?

Tenho um amigo que é um brilhante *hairstylist*. Quando se trata de embelezar as mulheres, ele é um mago. Há anos, fala em abrir o próprio salão de cabeleireiro. Ele tem grandes planos, mas, infelizmente, ainda permanece pequeno, trabalhando em uma única cadeira em um grande salão, constantemente em conflito com o proprietário.

Outro amigo tem uma mulher que se cansou de ser comissária de bordo. Dois anos atrás, ela deixou o emprego e foi para a escola para se tornar cabeleireira. Um mês atrás, ela inaugurou o próprio salão. É um ambiente espetacular e ela já atraiu alguns dos melhores *hairstylists* para trabalhar lá.

Quando o primeiro amigo soube do salão dela, perguntou: "Como é que ela pode abrir um salão? Não tem habilidades, não é talentosa e não foi treinada em Nova York como eu. Além disso, ela não tem nenhuma experiência. Dou-lhe um ano e ela vai fracassar."

Talvez ela falhe: as estatísticas mostram que 90% de todas as empresas falham nos primeiros cinco anos. Por outro lado, talvez isso não aconteça. A questão é que ela está agindo. Ela compreendeu o impacto que a coragem tem para moldar nossa vida. *É preciso coragem para descobrir, desenvolver e doar seu talento para o mundo.*

Dos vencedores de loterias nos Estados Unidos que ganham mais de $3 milhões cada, 80% perdem tudo em três anos. Por quê? Porque o dinheiro, por si só, não os faz ricos. Essas pessoas podem adicionar números às suas contas correntes, mas apenas os números não são suficientes para fazê-las ricas, porque elas não alteram sua forma de pensar.

Sua mente é *infinita*. Suas dúvidas é que são limitantes. Ayn Rand, autora de *A revolta de Atlas*, disse: "A riqueza é o produto da capacidade do homem de pensar." Então, se você está pronto para mudar sua vida, vou apresentá-lo a um ambiente que fará sua mente pensar de outra forma – e fará você enriquecer.

O que você quer ser quando crescer?

Quando eu era criança, muitas vezes meu pai verdadeiro me disse para ir para a escola e tirar boas notas, assim eu conseguiria um emprego seguro. Ele estava me programando para o quadrante E. Minha mãe queria que eu fosse um médico ou advogado. "Dessa forma, você sempre terá uma profissão para a qual voltar se for necessário." Ela estava me programando para o quadrante A. Meu Pai Rico me disse que, se eu quisesse me tornar rico quando crescesse, deveria virar empreendedor e investidor. Ele estava me programando para os quadrantes D e I.

Quando voltei do Vietnã, tive de decidir qual conselho seguiria. Você depara com a mesma escolha.

Uma razão para você querer criar o próprio negócio é recuperar sua dignidade.

Não subestime a importância desse motivo. O mundo está cheio de valentões e pessoas pobres de espírito e, sejam elas seu chefe, seu gerente, seu vizinho ou até mesmo seu amigo, você não quer mais ser humilhado por elas. Quer assumir o controle de sua vida. Quer ter a coragem de não se importar quando outras pessoas o insultam, quer ter a liberdade de pensar e agir por si mesmo.

A mente Maserati

Agora vamos perguntar novamente: *Onde você mora?* Agora você pode apreciar o que a passagem de um quadrante de fluxo de caixa para outro significa. Não é apenas uma estrutura diferente. É uma abordagem diferente à vida.

Sim, é sobre negócios, mas, ao mesmo tempo, não é realmente sobre negócios – é apenas a aparência externa. Colocar um agricultor acostumado com cavalos atrás do volante de um Maserati não faz dele um piloto de automóveis. Ele precisa de habilidades, treinamento e, mais importante, da mente de um piloto de carro de corrida.

O mesmo é verdadeiro para sua vida financeira. Você precisa adotar o modelo mental de um empresário. Essa mentalidade se resume a isto: um empreendedor é uma pessoa determinada.

Uma das belezas do mundo empresarial do século XXI é que todas as bases de negócios estão prontas para você.

Você faz as coisas acontecerem, o que significa que não precisa culpar *alguém* ou *algo* além de si mesmo.

Não que você vá ter de fazer tudo sozinho, a partir do zero, como fiz com meus negócios. Não, uma das belezas do *mundo empresarial do século XXI* é que todas as bases negociais já estão preparadas – e você tem, para guiá-lo, líderes experientes comprometidos com seu sucesso.

Mas não se engane: para tanto, é você que terá de fazer acontecer. E, para que *isso* aconteça, é preciso ter a mentalidade de um empresário. Caso contrário, não importa quão bom seja o empreendimento ou quão fantásticos sejam seus professores, será difícil obter bons resultados.

O modelo de negócios que vamos explorar na Parte II deste livro é um Maserati, mas você é a pessoa que se encontra atrás do volante. Antes de tudo, *trata-se de você.* Você está preparado para assumir o volante? Tem aquilo que é necessário?

Capítulo 6

É hora de assumir o controle!

Era o ano de 1985 e minha esposa Kim e eu não tínhamos onde morar. Estávamos desempregados e tínhamos pouco dinheiro na poupança; nossos cartões de crédito estavam estourados e nós vivíamos em um velho Toyota marrom com assentos reclináveis que serviam como camas. Ao final de uma semana dormindo em nosso carro, a dura realidade de quem éramos, de onde estávamos, o que estávamos fazendo e para onde estávamos indo começou a nos atingir profundamente.

Após perceber nossa situação desesperadora, uma amiga nos ofereceu um quarto no porão de sua casa. Quando os amigos e familiares ficavam sabendo de nossa situação, a primeira pergunta sempre era: "Por que vocês não arrumam um emprego?" A princípio, tentávamos explicar, mas era difícil esclarecer nossas razões para nossos bem-intencionados inquisidores. Quando você está conversando com alguém que valoriza o fato de ter um emprego, é difícil explicar por que talvez não esteja em busca de um.

Ocasionalmente, ganhávamos alguns trocados fazendo alguns trabalhos aqui e ali. Mas fazíamos isso apenas para colocar comida em nossos estômagos e gasolina em nossa casa – quer dizer, nosso carro. Devo admitir que, em momentos de profundo questionamento pessoal, a ideia de um emprego seguro, com salário, até era atraente. Mas, dado que a segurança no emprego não era o que estávamos buscando, continuamos em frente, vivendo um dia de cada vez, à beira do abismo financeiro. Sabíamos que sempre poderíamos encontrar um emprego bem remunerado. Nós dois éramos graduados, com boa formação técnica e incontestáveis princípios éticos. Mas não queríamos a segurança de um emprego. Estávamos em busca de liberdade financeira.

Em 1989, já éramos milionários.

Muitas vezes ouço as pessoas dizerem: "É preciso dinheiro para ganhar dinheiro." Isso é papo furado! Nossa jornada de sem-teto a milionários em quatro anos e, depois, a obtenção da genuína liberdade financeira em mais cinco anos, *não* requereu dinheiro. *Não tínhamos* dinheiro quando começamos – na verdade, estávamos endividados – e ninguém nos deu nada ao longo do caminho.

Também não é necessária uma boa educação formal. A educação universitária é importante para as profissões tradicionais, mas não para as pessoas que estejam buscando construir riqueza.

Se não é necessário dinheiro para ganhar dinheiro, nem uma educação formal para aprender a se tornar financeiramente livre, então o que é preciso? É preciso ter um sonho, muita determinação, desejo de aprender rapidamente e a compreensão de qual setor do quadrante Cashflow você está operando.

Trabalho árduo não vai enriquecer você

Há essa ideia estranha em nossa cultura que diz: "Se você trabalhar duro, tudo acabará bem." Que conversa fiada! E o que é ainda mais trágico é que a maioria das pessoas sofreu lavagem cerebral para acreditar nisso – e acredita –, mesmo estando cercadas por toneladas de evidências que provam o contrário.

Que evidências? Basta olhar a seu redor. Você conhece alguém que trabalhou realmente duro a vida inteira, só para acabar vivendo uma existência que paira um pouco acima – ou um pouco abaixo – da indignidade e do sofrimento chamado "nível de subsistência"?

Claro que sim. Todos nós conhecemos. O mundo está cheio de pessoas que trabalham duro e, definitivamente, *não* estão bem. E, talvez, a pior parte é que muitos desses infelizes chegaram à conclusão de que era sua culpa, seu fracasso pessoal. Eles fizeram tudo certo, não foi? Mas ainda assim não funcionou. Talvez eles não tenham tentado tão arduamente assim ou tenha faltado um golpe de sorte. Ou, talvez, o sucesso não era mesmo para eles.

Um absurdo. O problema é que o mito do trabalho duro é apenas isto: um mito.

Vejam, não me interpretem mal. Não estou dizendo que construir riqueza e liberdade financeira não exija muito trabalho; exige, e muito. Espero que você não seja ingênuo o suficiente para acreditar nos idiotas que dizem poder lhe mostrar um caminho para a riqueza que é fácil, rápido ou indolor. Muitos compraram essa ponte – um sistema inteiro de hipotecas *subprime* e derivativos tóxicos que resultaram naquilo que você já sabe.

Não! É preciso muito trabalho, pode apostar. A questão é: Trabalhar duro fazendo o quê?

Já posso ouvir você pensando: "Fazendo o quê? Ganhando dinheiro, é claro!" Mas tenha calma porque eis a verdade fria e dura por trás do triste erro da forma de pensar de nossa cultura:

Ao se trabalhar duro para fazer dinheiro, não se cria riqueza

Pessoas que recebem remuneração salarial trabalham mais e mais, apenas para ser ainda mais tributadas. Esqueça o trabalho duro para ganhar dinheiro: tudo o que você vai fazer é gastá-lo e, depois, trabalhar duro novamente. Você pode estar se perguntando: "Ok, então o que faço?" Você *assume* o controle.

Controle do quê? Afinal, você não pode controlar a maioria das coisas na vida, não importa quão duro tente. Você não pode controlar o mercado. Não pode controlar seus funcionários. Nem a economia. O que você *pode* controlar? Você pode controlar a fonte de sua renda.

O problema

Construir um negócio é a maneira como os muito ricos se tornaram ricos. Bill Gates construiu a Microsoft; Michael Dell criou os computadores Dell em seu quarto de dormir. Ainda assim, historicamente, são muito, muito poucas as pessoas que realmente vivem no quadrante D. Esse quadrante é o melhor lugar para começar a gerar riqueza genuína, mas, ao mesmo tempo, existem algumas barreiras à entrada que têm mantido a maioria das pessoas do lado de fora.

Para começar, a maioria não tem o dinheiro necessário para iniciar o próprio negócio. Depois, construir o próprio negócio a partir do zero é a maneira mais arriscada de todas para se tornar rico. A taxa de insucesso para novos negócios é de cerca de 90% nos primeiros cinco anos – e, se seu novo empreendimento falhar, adivinhe quem perderá o capital colocado na empresa? No início da minha vida empresarial, falhei duas vezes e, ainda que isso não me tenha empurrado para a falência (e nunca recebi qualquer salvamento do governo), me custou milhões de dólares.

Normalmente, quando você inicia o próprio negócio, tem de se certificar de que seu aluguel, os serviços (água, luz, telefone) e o resto de todas as suas despesas serão pagos – seus funcionários e fornecedores inclusive, ou você está fora do negócio. Então, adivinha quem não recebe pagamento? Você. No processo de iniciar um negócio – e estou falando aqui de um *business* bem-sucedido –, você pode facilmente ficar de 5 a 10 anos sem receber um centavo sequer.

Lembra-se de nossas noites dormindo num Toyota surrado? Não foi divertido. Poderíamos ter arrumado um emprego, o que imediatamente colocaria um teto sobre nossa cabeça, mas, tão horrível quanto possa ter sido (e, acreditem, foi), optamos pela falta de moradia em vez de um emprego, porque acreditávamos no sonho de sermos donos de empresas e vivermos no quadrante D.

A maioria das pessoas não tem resistência emocional, física ou financeira para lidar com essas condições. Pode ser brutal, e geralmente é.

Que tal uma franchise?

Uma franquia elimina grande parte do risco. Com uma franquia estabelecida como McDonalds ou Subway, suas chances de sucesso melhoram significativamente e boa parte do terreno está preparada para você. Mas você ainda está emperrado no problema 1: você tem de colocar o dinheiro. O custo de aquisição de uma das franquias mais conhecidas pode variar de $100 mil a $1,5 milhão ou até mais, e isso apenas para a aquisição dos direitos da franquia. Depois, há pagamentos mensais para a sede central por treinamento, publicidade e apoio.

E, mesmo com todo este apoio, ainda não há garantia de grande riqueza. Muitas vezes, uma pessoa deve continuar a pagar para o franqueador ou sede, mesmo quando sua franquia está perdendo dinheiro. Mesmo que você seja um daqueles que consegue sucesso em uma franquia, há boas chances de que não faça dinheiro nos primeiros anos. E uma em cada três franquias, eventualmente, irá à falência.

Quando meu Pai Pobre estava com 50 anos, teve a ousadia de concorrer para governador do Havaí – e o candidato contra o qual estava concorrendo era seu chefe. Ele não só perdeu a eleição, como também seu patrão o despediu e disse que ele nunca iria trabalhar no Havaí novamente. Ele pegou todas as suas economias e usou para comprar uma franquia famosa, que era anunciada como uma "franquia que nunca perdia".

Bem, a franquia que "não podia perder" perdeu e o mesmo aconteceu com meu pai. Na verdade, ele perdeu tudo o que tinha.

Em teoria, uma franquia é uma ótima ideia, mas, na realidade, é uma aposta – um jogo em que você tem de desembolsar uma fortuna só para se sentar à mesa e jogar.

O poder da renda passiva

Você já usou uma dessas torneiras de mola que alguns banheiros públicos instalam para economizar água? Enquanto você abre a torneira, precisa segurá-la para que a água continue fluindo, porque, quando você a solta, a água para de fluir.

A fonte de renda da maioria das pessoas funciona como essa torneira: um pouco de dinheiro flui, as pessoas se descuidam e ele para de fluir. Não se pode construir liberdade dessa forma. O que se quer é uma torneira de dinheiro que, uma vez aberta, você pode largar e o dinheiro continuará fluindo, porque a torneira *fica aberta por si mesma.*

Não é apenas garantir renda hoje, amanhã e a semana seguinte; trata-se de garantir renda perpetuamente. Isso é *renda passiva*, também conhecida como *renda residual*: renda que continua chegando, mais e mais, muito tempo depois que você já terminou de gastar capital e esforço físico necessários para criar essa fonte de renda.

Deslocar-se para o quadrante D é um grande passo nessa direção, mas nem todos os negócios criarão renda passiva. Se você possui um restaurante, ganha dinheiro só quando prepara uma refeição e vende. Se a sua empresa conserta condicionadores de ar, você ganha renda somente quando presta esse serviço. Mesmo altos assalariados como médicos e advogados somente ganham dinheiro quando veem seus pacientes ou clientes. Se nenhum dos pacientes ou clientes requerer seus conhecimentos e serviços em determinada semana, as molas da torneira a fecharão novamente e não haverá dinheiro entrando naquela semana.

O que a maioria das pessoas precisa é de um caminho para criar renda passiva. Sabendo disso, Donald Trump e eu nos unimos para avaliar os vários tipos de estruturas empresariais que podem criar renda passiva, e publicamos os resultados em *Nós queremos que você fique rico.*

E, a propósito, isso não é apenas o título de um livro. Nós realmente queremos que você seja rico. Riqueza não é um jogo de soma zero; se você ficar rico, não estará tirando dinheiro de mim ou de Donald ou de qualquer outra pessoa. Este mundo em que vivemos é incrível e abundante, e há mais do que suficiente energia, material, engenhosidade, criatividade e ambição para permitir que *cada ser humano* no planeta enriqueça.

Então, o que descobrimos? Descobrimos que um modelo de negócios se destacou mais em relação aos outros. Este modelo de negócio em particular cria renda passiva, mas requer relativamente pouco investimento em dinheiro para começar. As despesas são muito baixas e pode ser administrado em uma base flexível de meio período até que gere dinheiro suficiente para que o empresário faça a transição de seu trabalho em tempo integral atual.

Esse modelo de negócio é chamado *marketing de rede* e é o assunto que o restante deste livro abordará.

Parte II

Um negócio: Oito ativos construtores de riquezas

Oito razões para o marketing de redes assegurar seu futuro

Capítulo 7

Minha experiência

Preciso começar fazendo uma revelação: nunca estive *de fato* "no" negócio de marketing de rede. Não sou um distribuidor, nem proprietário de uma empresa de marketing de rede, não tenho interesses financeiros em qualquer empresa desse tipo e não promovo qualquer empresa específica. Mas tenho estado *no* negócio há anos como defensor do marketing de rede e, neste capítulo, quero explicar por quê.

Meu primeiro encontro com o marketing de rede ocorreu em 1975, quando um amigo me convidou para a apresentação de uma nova oportunidade de negócio. Como tenho o hábito de investigar oportunidades de negócios e investimentos, concordei em ir, embora tenha achado um pouco estranho que a reunião de negócios fosse em uma residência, e não em um escritório.

Eu o escutei por três horas enquanto ele falava sobre o valor de se construir o próprio negócio em vez de trabalhar para outras pessoas. Concordei com a maior parte dos argumentos. Ao final da noite, meu amigo me perguntou qual era minha opinião sobre o que ouvira. "É interessante", respondi, "mas não serve para mim".

Eu já estava completamente envolvido no processo de construção de um negócio. Por que precisaria construir um negócio com outras pessoas? Além disso, *era marketing de rede*. Eu realmente não tinha a menor ideia do que isso significava, mas *achava* que sabia e estava certo de que não tinha nenhum valor para mim.

Logo depois da minha primeira reunião de marketing de rede, meu negócio de carteiras esportivas que havia começado com dois amigos deslanchou. Meus dois anos de trabalho duro começaram a recompensar. Sucesso, fama e fortuna se esparramavam sobre mim e meus dois sócios. Havíamos prometido que ficaríamos todos milionários com a idade de 30 e, graças a nosso trabalho duro e muito sacrifício, havíamos alcançado nosso objetivo. (E esta foi a década de 1970, quando $1 milhão realmente valia alguma coisa.) Nossa empresa e nossos produtos foram citados até em revistas como *Surfer*, *Runner's World* e *Gentleman's Quarterly*. Estávamos na moda do mundo de artigos esportivos e os negócios chegavam de todo o globo. Eu era um sucesso total.

Não mais pensei em marketing de rede, pelo menos não até a próxima década.

Abertura da mente

Ao longo dos anos que se seguiram, minha mente começou a se abrir. Aquele negócio incrivelmente bem-sucedido fracassou alguns anos após seu início. Foi uma experiência humilhante, porém muito positiva, porque me fez observar o mundo com mais cuidado. Passei a refletir mais sobre as coisas que meu Pai Rico me ensinou e minha perspectiva se ampliou. Não demorou muito para que eu construísse outro *business* de sucesso, e depois outro, e depois outro – e, ao contrário daquele primeiro negócio, esses outros não fracassaram.

Acabei percebendo que, ainda que o sucesso pessoal seja gratificante, é muito mais gratificante quando você pode ajudar os outros a criarem o próprio sucesso também.

Durante todos esses anos, também me senti fortemente atraído pela ideia de não só me tornar rico, mas também de encontrar formas de ajudar os outros a enriquecerem. Percebi que, embora o sucesso pessoal seja gratificante, é muito mais gratificante quando você pode ajudar os outros a criarem também o próprio sucesso.

Nos 15 anos seguintes, continuei ouvindo coisas negativas sobre o marketing de rede, principalmente de pessoas que eu conhecia. Finalmente, decidi eu mesmo dar uma avaliada.

No início de 1990, encontrei por acaso um amigo chamado Bill, que era um aposentado multimilionário. Começamos a conversar e eis que Bill me disse que estava envolvido com a construção de um *business* de marketing de rede!

Bill é um cara sagaz, muito experiente. Eu sabia que ele havia concluído um projeto comercial imobiliário no valor de mais de $1 bilhão. Perguntei-lhe por que diabos ele estava envolvido com marketing da rede.

"Durante anos", ele me disse, "as pessoas têm me pedido dicas sobre investimentos imobiliários. Elas querem saber se podem investir comigo. Mas não podem, porque a maioria não tem os $50 mil ou $100 mil necessários para entrar no meu nível de investimentos em imóveis".

"Na verdade, muitas não têm absolutamente dinheiro algum. Algumas estão a apenas dois contracheques distantes da falência. Assim, elas procuram negócios baratos, coisas que não precisam de dinheiro de entrada e que, muitas vezes, são investimentos ruins. Com o marketing de rede, posso realmente ajudar as pessoas a conseguirem a quantia necessária para fazer alguns investimentos sérios. Quanto mais pessoas ajudo a fazer isso, mais investidores tenho!

"Além disso", acrescentou, "realmente amo trabalhar com pessoas que estão ansiosas por aprender e crescer. É uma chatice trabalhar com pessoas que pensam que já sabem tudo, que é o que muitas vezes acaba acontecendo no meu ramo de negócios imobiliários. As pessoas com quem trabalho no marketing de rede são genuinamente entusiasmadas com novas ideias".

Após mais alguns minutos de conversa, tive de correr para o aeroporto, mas, ao longo dos meses que se seguiram, continuamos nosso diálogo e, com isso, meu respeito pelo marketing de rede e pelo que ele representava aumentou.

Em 1994, comecei a pesquisar a indústria a sério. Fui a cada apresentação, ouvindo atentamente cada palavra. Estudei a literatura, olhei os registros de cada empresa, examinando-os cuidadosamente, com o mesmo zelo que dedico a qualquer dos empreendimentos em que penso em investir. Até mesmo me juntava a algumas das empresas quando gostava do que havia visto, apenas para aprender mais sobre elas e ver como seria a experiência do lado interno da situação.

Conheci alguns dos líderes dessas empresas e fiquei surpreso ao descobrir que eles estavam entre as pessoas mais inteligentes, simpáticas, éticas, honestas, espiritualizadas e profissionais que havia conhecido em todos os meus anos de atividade. Uma vez que eu superara meu próprio preconceito e encontrara pessoas que eu respeitava e com quem me relacionava, vi que havia encontrado a essência daquela indústria – e fiquei chocado com o que descobri.

Quando tropecei no conceito, naquela primeira reunião de oportunidade, em 1975, minha mente estava bem fechada à ideia. Então, cerca de 20 anos mais tarde, minha opinião havia mudado completamente.

As pessoas às vezes me perguntam: "Por que você recomenda às pessoas o marketing de rede como forma de se construir riqueza, quando você mesmo não enriqueceu dessa maneira?"

Na verdade, é *porque* não ganhei minha fortuna através do marketing de rede que posso ser um pouco mais objetivo sobre essa indústria. Passei a apreciar esse tipo de empresa como um *outsider*, alguém de fora, e só depois que eu já havia construído minha própria riqueza e estabelecido minha liberdade financeira.

Em suma, se eu tivesse de fazer tudo novamente hoje e começar do zero, em vez de construir um negócio no estilo antigo, começaria construindo uma empresa de marketing de rede.

O que é exatamente marketing de rede?

Eu disse que nunca estive realmente envolvido em marketing de rede como um participante, mas conheço alguém que participou e convidei-o a se juntar a mim, nestas páginas, para compartilhar alguns de seus insights.

Meu amigo John Fleming começou a vida como arquiteto (ele já trabalhou para o lendário Mies van der Rohe), e essa é uma das razões pelas quais admiro sua abordagem de marketing de rede: ele traz essa mesma paixão pelo design prático e construção funcional a esse negócio. Ele é um homem, em outras palavras, que aprecia o valor da construção de estruturas que duram.

John traz a estas páginas seus quase 40 anos de experiência com marketing de rede. Ele administra a própria companhia e já ocupou várias posições executivas diferentes em outras, incluindo um mandato de 15 anos em uma das maiores e mais respeitadas empresas da indústria como vice-presidente regional e, depois, como vice-presidente de estratégia de vendas, treinamento e desenvolvimento. Ele também tem se envolvido ativamente em diferentes grupos do setor; em 1997, foi-lhe concedida uma de suas maiores honrarias, o prêmio Círculo de Honra, da Direct Selling Education Foundation. Hoje, ele trabalha como editor-chefe da *Direct Selling News*, uma respeitável publicação destinada aos executivos da área.

Robert: John, para aqueles leitores que talvez ainda não saibam, o que exatamente é marketing de rede e o que o faz funcionar?

John: O marketing de rede tem existido de formas diversas, desde meados do século passado. A ideia básica é tão simples quanto brilhante: em vez de gastar toneladas de dinheiro em todos os tipos de agências e canais de comercialização para promover produtos ou serviços, por que não pagar aos fãs desses produtos para que façam propaganda deles?

Isso é exatamente o que uma empresa de marketing de rede é: devolve uma parte de cada centavo recebido de vendas para seus representantes independentes, que normalmente também são os consumidores mais comprometidos e entusiasmados de seus produtos.

Robert: Deixe-me ser o advogado do diabo por um momento. Como é que isso pode realmente funcionar? Quer dizer, um monte de pessoas comuns que não são vendedores qualificados pode realmente competir e gerar um nível significativo de vendas?

John: Na verdade, aí reside a beleza disso. Como todo profissional de marketing, produtor de Hollywood e gigantes corporativos sabem, a forma mais poderosa de promoção do mundo é o boca a boca. É por isso que os comerciais de televisão gastam milhões para contratar atores que falam como sua mãe, seu cônjuge, seu melhor amigo ou seus filhos: eles estão imitando a propaganda boca a boca.

No marketing da rede, usamos a coisa real. O poder verdadeiro do modelo – que você, Robert, chama de *alavancagem* – é que, como representante, não recebe as comissões somente pelos produtos utilizados pelas pessoas que você indica para a empresa, mas, muitas vezes, sobre os produtos comprados pelas pessoas que *elas* indicam, direta e indiretamente, o que pode realmente adicionar muito a seu resultado.

Então, isso funciona? Você sabe a resposta para isso: venda direta/marketing de rede representam hoje mais de $110 bilhões em vendas anuais no mundo – um bloco econômico mais ou menos do tamanho de Nova Zelândia, Paquistão ou Filipinas. (Costumo descrever esse modelo de negócio usando ambos os termos, "venda direta" e "marketing de rede", porque hoje as empresas que fazem venda direta costumam empregar foco de marketing de rede. No entanto, para os fins deste livro, só usarei "marketing de rede" em minhas referências.)

Uma das razões para que as vendas totais do marketing de rede continuem a crescer é que o sistema é um verdadeiro ganha-ganha. A empresa obtém um incrível nível de penetração no mercado e percepção do cliente que seria muito difícil e muito caro conseguir com o marketing tradicional. E o representante independente tem a oportunidade de criar um excelente fluxo de caixa.

Como? Dominando o poder do boca a boca – relacionamento pessoa a pessoa – para construir uma sólida rede que represente a linha de produtos e/ou serviços da empresa.

Robert, você falou sobre um negócio no quadrante D como tendo pelo menos 500 funcionários. No marketing de rede, você não contrata funcionários; patrocina indivíduos que são todos representantes independentes. Mas a mesma dinâmica financeira se aplica: no momento em que sua rede de representantes independentes passa a ser de 300, 400 ou 500, você tem uma organização séria que proporciona renda residual significativa.

O que os outros dizem sobre o marketing de rede

Como diz John, o modelo é poderoso porque *funciona* e nós não somos os únicos que dizem isso.

Tom Peters, o lendário especialista em gestão e autor do clássico best-seller *Vencendo a crise*, descreve marketing de rede como "a primeira mudança em marketing verdadeiramente revolucionária desde o advento do marketing 'moderno' na Procter & Gamble e Harvard Business School há mais de 50 anos".

Revistas e jornais como *Forbes*, *Fortune*, *Newsweek*, *TIME*, *U.S News & World Report*, *USA Today*, *The New York Times* e *The Wall Street Journal* têm comentado sobre o sucesso do marketing de rede. Quinze anos atrás, você não conseguiria que nenhuma dessas revistas fizesse a esse tipo de negócio qualquer menção. Hoje, observe só o que uma edição recente da revista *Fortune* disse sobre marketing de rede:

Hoje, o marketing de rede é reconhecido por muitos especialistas e empresários de sucesso como um dos modelos negociais de maior crescimento no mundo.

"O sonho de um investidor... o segredo mais bem guardado do mundo dos negócios... é uma indústria com um crescimento anual constante, fluxo de caixa saudável, alto retorno sobre o capital investido e perspectivas de expansão global no longo prazo."

Warren Buffett e Richard Branson não poderiam ser mais diferentes. Buffett dirige uma caminhonete e vive em Omaha; Branson pilota o próprio avião e vive na própria ilha, situada nas Ilhas Virgens Britânicas. Mas eles têm três coisas em comum: ambos são bilionários, ambos são homens extremamente práticos e ambos já foram donos de empresas de marketing de rede.

Isso lhe diz alguma coisa?

Citigroup, Jockey, L'Oreal, Mars, Remington e Unilever: adivinha o que elas todas têm em comum? Todas puseram um pé nas águas do marketing de rede – em alguns casos, entraram até os quadris.

Hoje, o marketing de rede é reconhecido por muitos especialistas e homens de negócios bem-sucedidos como um dos modelos de negócio que mais cresce no mundo.

Capítulo 8

Não é sobre renda – é sobre os ativos que geram renda

Não admira o fato de que muitas pessoas não entendam o valor do marketing de rede: muitos daqueles que estão realmente envolvidos com ele não compreendem plenamente o valor daquilo que detêm em mãos.

Quando as pessoas assistem a uma apresentação de marketing de rede, muitas vezes a principal pergunta que fazem é: "Se eu aderir a este negócio, quanto de renda posso ganhar?" E, claro, quando as pessoas promovem seu negócio de marketing de rede, muitas vezes é exatamente isso que você as escutará descrevendo: o quanto é possível ganhar por mês.

A razão pela qual as pessoas querem saber o quanto podem ganhar por mês é porque elas estão pensando em termos de viver no quadrante E ou no quadrante A. Elas estão pensando sobre como suplementar ou substituir seus atuais ganhos com o rendimento do trabalho dos quadrantes E ou A.

Mas não é aí que reside o valor real do marketing de redes.

O problema com o rendimento do trabalho é que o processo é incrivelmente limitado e linear. Trabalhe uma hora, ganhe X; trabalhe duas horas ganhe 2X. Depende de você, ou seja, você nunca pode parar. Como eu já disse, é uma armadilha. A maioria das pessoas intuitivamente sabe disso, mas assume que o caminho para sair da armadilha é ganhar mais. No entanto, ganhar mais não muda o fato básico de ainda estar vinculado ao rendimento do trabalho. Na verdade, muitas vezes ganhar mais só serve para apertar ainda mais o laço da armadilha.

O quadrantes D e I nada têm a ver com ganhar mais; eles tratam da aquisição de bens – ativos que gerem renda.

A verdade sobre sua casa

As coisas que a maioria das pessoas acha que são ativos não são ativos; são, na verdade, passivos.

O que define se algo é um ativo ou um passivo é o fluxo de caixa, não alguma abstração de valor. Em outras palavras, está gerando dinheiro que vai para seu bolso, ou está tirando dinheiro do seu bolso? Todas as coisas nos *fazem* ou nos *custam* dinheiro. Se não fizer dinheiro, não é um ativo, é um passivo.

Deixe-me explicar o que é um ativo.

A maioria das pessoas se confunde tanto com isso que acaba misturando as coisas. Correm para o dicionário e descobrem que um ativo é algo que "vale alguma coisa". Bem, talvez. O problema é essa palavra enganosa, *vale*. Deixe-me lhe fazer uma pergunta:

Quanto vale sua casa?

Antes de responder, deixe-me fazer a mesma pergunta de maneira diferente:

Quanto de renda sua casa produz todos os meses?

São boas as chances de que sua resposta seja: "Bem, nenhuma. Na verdade, gasto um bom dinheiro todos os meses, em reparos, em manutenção e coisas assim."

Exatamente. Isso porque *sua casa não é um ativo; é um passivo.*

"Mas espere um minuto", você diz. "Minha casa vale uns $200 mil!"

Ah, é? Quando? Quando você vender, em algum ponto teórico no futuro? Mas, então, onde você vai viver? Você pegaria o dinheiro de sua venda e compraria outra casa para morar? É claro! Então, onde está o valor, a renda real discricionária que você pode segurar em mãos e usar para comprar ou investir em qualquer coisa que queira? Não existe: não há renda alguma. *Sua casa não é um ativo; é um buraco no chão em que você coloca dinheiro.*

Como distinguir um ativo de um buraco no chão

Esqueça a definição do dicionário por um instante. Vamos falar sobre o mundo real. Um ativo é algo que trabalha para você, para que, então, você não tenha de trabalhar para o resto da vida.

Meu Pai Pobre sempre dizia: "Procure um bom emprego." Meu Pai Rico dizia: "Construa ativos."

A coisa poderosa sobre a vida no quadrante D é que, quando você constrói um negócio, está construindo um ativo.

Na Rich Dad Company temos escritórios em todo o mundo. Se estou trabalhando, dormindo ou jogando golfe, o dinheiro não para de entrar. Isso é renda passiva: renda residual. Ainda que eu não trabalhe duro em um emprego, trabalho muito para construir ativos, porque penso como uma pessoa rica, não como uma pessoa da classe trabalhadora.

Dado que possuir um negócio significa possuir um ativo, quando você constrói um marketing de rede, não está apenas aprendendo habilidades importantes, mas também construindo um ativo real para si mesmo. Em um trabalho, você ganha salário. No marketing de rede, em vez de ganhar salário, você constrói um ativo – o seu negócio – e *o ativo gera renda.*

Só invisto em coisas que me trazem dinheiro. Se isso me traz dinheiro, é um ativo; se tira dinheiro de mim, é um passivo. Tenho dois Porsches. Eles são passivos. Estão totalmente pagos, mas não estão colocando dinheiro no meu bolso; ao contrário, estão tomando dinheiro do meu bolso. Não é ciência espacial. É fácil de entender.

Para aqueles que compreendem isso, o ativo número um é, em geral, uma empresa e o ativo número dois é tipicamente imobiliário. E, mesmo no setor imobiliário, você tem de entender a diferença entre fluxo de caixa e ganho de capital. A maioria das pessoas não entende essa distinção. Quando investem, investem por ganho de capital. Elas costumam dizer: "O valor da minha casa subiu. O valor do meu carro subiu." Isso é ganho de capital, não fluxo de caixa.

O propósito de se possuírem imóveis é mantê-lo como um ativo, não vendê-lo com lucro. Se você comprar um pedaço de terra por $100 mil e, em seguida, vender por $200 mil, isso não é um ativo; você só gerou um ganho de capital de $100 mil. Você teve de queimar o ativo para obter esse dinheiro. Você matou o ativo. É como vender sua vaca por dinheiro. Prefiro possuir a própria vaca e vender o leite.

Este é o maior problema de se estar empregado: um emprego não é um ativo. Você não pode vendê-lo nos sites de compras, não pode alugá-lo, não pode ganhar dividendos a partir dele. Por que gastar décadas, os melhores anos de sua vida, se desgastando para construir algo que não é um ativo? Ou, para ser mais preciso, para construir ativos para outras pessoas – não para si próprio?

Porque, quando você é um empregado, está construindo um ativo – apenas não é o *seu ativo*.

Nós temos essa ideia, incrustada em nós, de que há algum tipo de valor inerente em se ter um bom emprego, mas não há absolutamente valor algum nisso – zero. E, para enfiar o dedo ainda mais nessa ferida, a renda do seu trabalho é, então, tributada a uma alíquota mais elevada do que qualquer outra forma de renda. Isso é que é jogar contra você! No entanto, esse é o preço que algumas pessoas estão dispostas a pagar pela "proteção e a segurança" do quadrante E.

O marketing de rede não é sobre vender produtos ou obter rendimentos!

O maior equívoco popular sobre o marketing de rede é que é um negócio de *venda*. Mas vender é apenas ganhar mais renda. O problema é que, se você para a atividade, a renda também para.

Um vendedor tem um emprego. Se você trabalha atrás do balcão de uma loja de departamento, está no quadrante E; se tem um negócio próprio, vendendo seguros, casas ou joias, você está no quadrante A. De qualquer forma, você tem um emprego – e seu emprego é vender.

Isso não vai construir sua riqueza ou sua liberdade.

O que você quer não é outro emprego; você quer é *outro endereço*, no quadrante D.

> **John:** Robert, isso está absolutamente correto. Muitas vezes, assume-se que ser bem-sucedido no negócio de marketing de redes significa ser "excelente vendedor". Mas o objetivo da rede não é vender muito do seu produto ou serviço específico, porque, não importa o quão bom você seja – e sejamos honestos, se você é como a maioria das pessoas, nem acha que é muito bom no que faz –, há limite para a renda que você pode ganhar vendendo.
>
> Afinal, quantas horas há no dia, certo?

No marketing de rede, o objetivo não é *vender um produto*, mas *construir uma rede*, um exército de pessoas em que todas estão representando o mesmo produto ou serviço, com o objetivo de compartilhar com outros.

O objetivo não é você ou qualquer outra pessoa vender um monte daquele produto, mas muitas pessoas sendo seus próprios melhores clientes, vendendo e atendendo a um número razoável de clientes e recrutando e mostrando a muitas outras pessoas como fazer o mesmo.

E aqui está a razão pela qual você quer construir um exército de representantes independentes: uma vez que você consegue, sabe o que tem em mãos? Um ativo que gera renda para você – renda *passiva.*

No Capítulo 13, vou pedir a John que explique mais detalhadamente por que o marketing de rede não é sobre vendas ou sobre ser um bom vendedor, e espero que você preste muita atenção, porque este é um ponto-chave que a maioria das pessoas não compreende. Por enquanto, fica a seguinte observação: *o marketing de rede não é sobre como ter mais renda; é sobre como construir um ativo.*

Na verdade, é sobre a construção de oito ativos, tudo ao mesmo tempo. E, nos próximos capítulos, daremos uma olhada em cada um deles.

Capítulo 9

Ativo 1: Educação do mundo empresarial real

Tenho uma confissão a fazer: sou um leitor lento. Eu realmente leio muito, só que leio muito lentamente e, muitas vezes, tenho de ler um livro duas ou três vezes antes de realmente entender o que estou lendo. Além do mais, também sou um escritor muito ruim; na verdade, fui reprovado duas vezes no ensino médio.

Quer saber algo irônico? Este aluno nota C, que não conseguiu aprovação nos cursos de redação e que, até hoje, não escreve muito bem, teve sete livros na lista dos mais vendidos do *The New York Times*.

Minha opinião? Boas notas não são tudo.

Não me interpretem mal: não estou desmerecendo a educação. Acredito na educação; na verdade, acredito nisso com paixão. Mas a educação na qual mais creio é aquela que realmente ensina o que você precisa aprender para ser bem-sucedido na vida.

Quando recomendo que as pessoas construam os próprios negócios de marketing de rede, a primeira razão não é pelos muitos produtos excelentes, até mesmo transformadores de estilo de vida, que você pode representar. E não é pelo dinheiro que você pode ganhar ou a liberdade financeira que pode criar.

Sim, os produtos são muitas vezes excelentes. E, sim, realmente acredito na possibilidade de que isso possa lhe mostrar um caminho real para a geração de riqueza. Mas estes não são *os mais* importantes benefícios que você ganha com essa experiência. O principal valor que você assimila da experiência é uma educação do mundo negocial real.

Três tipos de educação

Se você quer ser bem-sucedido financeiramente, há três tipos diferentes de educação exigidas: acadêmica, profissional e financeira.

A educação acadêmica ensina a ler, escrever e fazer contas. É um tipo muito importante de formação, especialmente no mundo de hoje. Pessoalmente, não me dei muito bem com esse tipo de ensino. Como já disse, fui um estudante nota C a maior parte da vida, porque não estava particularmente interessado naquilo que estava sendo ensinado.

A educação profissional ensina como trabalhar por dinheiro. Em outras palavras, prepara para a vida nos quadrantes E e A. Durante minha juventude, as crianças mais inteligentes se tornavam médicos, advogados e contadores. Outras iam para escolas técnicas que as ensinaram a se tornarem assistentes de médicos, encanadores, pedreiros, eletricistas e mecânicos de automóveis.

Também não me saí bem aqui. Como não tinha uma boa formação acadêmica, não fui encorajado a me tornar um médico, advogado ou contador. Em vez disso, tornei-me oficial de navio e, em seguida, piloto de helicóptero, voando pelo Corpo de Fuzileiros Navais no Vietnã. Nessa época, com 23 anos, eu tinha duas profissões – oficial de navio e piloto –, mas, de fato, nunca usei nenhuma delas para fazer dinheiro.

Na educação financeira, você aprende a fazer o *dinheiro trabalhar para você*, em vez de *você trabalhar para o dinheiro*. Você talvez ache que pode conseguir uma boa educação financeira nas escolas de administração, mas, de modo geral, não é isso que acontece. O que as escolas de negócios geralmente fazem é pegar os jovens mais inteligentes e treiná-los para ser executivos das empresas dos ricos. Em outras palavras, eles treinam seus alunos para a vida do escalão superior do quadrante E – mas ainda é o quadrante E.

Depois que voltei do Vietnã, considerei a hipótese de voltar para a escola para obter meu MBA, mas meu Pai Rico me fez desistir dela. Ele disse: "Se você receber um MBA de uma escola tradicional, está sendo treinado para ser um empregado dos ricos. Se você quiser ser rico, não precisa de mais educação escolar formal; precisa de educação financeira do mundo real."

As habilidades importantes

Ser um empreendedor e construir um negócio no quadrante D não é fácil. Na verdade, acredito que a construção de um negócio no quadrante D é um dos desafios mais difíceis que uma pessoa pode assumir. A razão para que existam tantas pessoas nos quadrantes E e A é que aqueles quadrantes são menos exigentes do que o quadrante D. Se fosse fácil, todos estariam fazendo isso.

Se você quiser ser bem-sucedido nos negócios, existem habilidades técnicas que precisa conhecer e que provavelmente não aprendeu na escola.

Por exemplo, a capacidade de se organizar e de definir a própria agenda. Isso é maior do que pode parecer. Pessoas que entram na arena do marketing de rede às vezes experimentam uma espécie de choque cultural, porque estão acostumadas a fazer o que lhes é mandado. Você pode trabalhar arduamente no quadrante E e, ainda assim, não ter absolutamente nenhuma experiência no estabelecimento de metas, na organização de um plano de ação, no controle de agenda e de tempo e na execução de uma sequência clara de ações produtivas.

É chocante ver como as pessoas não têm essas habilidades básicas. Chocante, mas não surpreendente. Afinal, no quadrante E você realmente não precisa delas. Mas se está entrando no quadrante D, elas não são uma opção. São tão importantes quanto as habilidades de controlar um talão de cheques, elaborar um plano financeiro e ler um relatório anual.

Vantagens fiscais – e a lição que ensinam

Pessoas totalmente novas no marketing de rede ficam muitas vezes bastante surpresas ao aprender sobre as significativas vantagens fiscais nessa área.

A maioria das pessoas tem pelo menos uma vaga ideia de que os ricos desfrutam de todos os tipos de vantagens no pagamento de impostos que elas próprias não têm, mas, como elas viveram o tempo todo dentro do quadrante E, geralmente não têm noção de quais sejam essas vantagens ou de como realmente funcionam. Portanto, as pessoas ficam frequentemente chocadas ao perceber que também podem desfrutar dessas mesmas vantagens fiscais e colocam quantidades significativas de dinheiro em seus bolsos já a partir do primeiro dia de seus novos negócios.

Com as recentes mudanças nas políticas fiscais e com mais programas de seguros sob medida para pequenas empresas e trabalhadores independentes, ficou mais fácil do que nunca criar o próprio pacote de benefícios, que se iguala – e até mesmo supera – a qualquer coisa que as grandes corporações poderiam oferecer. Iniciando um negócio de marketing de rede em seu tempo livre e mantendo seu trabalho regularmente, você começa a obter as vantagens fiscais dos ricos. Uma pessoa com um negócio assim de meio período pode obter mais deduções fiscais que os empregados em geral.

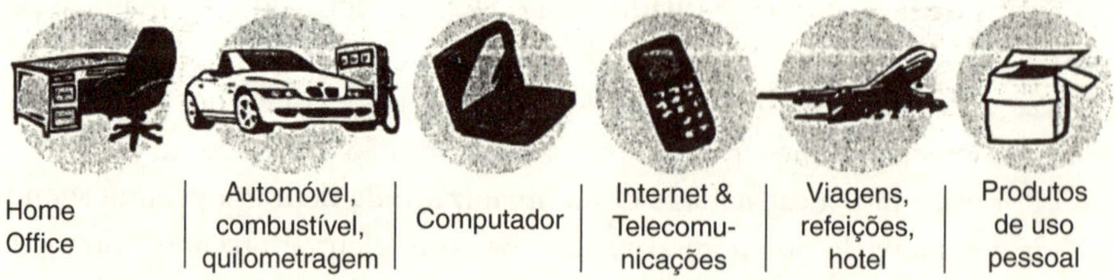

Nessa figura, estão apenas alguns exemplos de coisas em que você já gasta dinheiro e que podem tornar-se deduções fiscais legítimas, uma vez que você comece seu negócio de marketing de rede com sede na própria casa. Nota: Esta lista é fornecida aqui apenas para fins ilustrativos; para aconselhamento tributário sobre sua situação, você deve consultar um profissional de impostos de sua confiança.

Por exemplo, talvez você seja capaz de deduzir as despesas do carro, gasolina, algumas refeições e entretenimento. Obviamente, é preciso verificar com um contador ou especialista as regras exatas para sua situação. E, quando o fizer, verá que o custo dessa visita ao contador é dedutível também! Em outras palavras, o governo vai realmente lhe possibilitar um corte de impostos para obter aconselhamento profissional sobre a forma de pagar menos impostos ao governo.

Uma das belezas do marketing de rede é que ele afasta o véu de mistério e revela a vida no quadrante D.

Minha ideia ao citar tudo isso não é só que você saiba sobre essa significativa alavancagem econômica que vem de economia fiscal, no primeiro dia de seu novo negócio. Mais do que isso, quero enfatizar este ponto: a maioria das pessoas não tem ideia do que seja estar no quadrante D!

A razão pela qual a maioria das pessoas fica chocada quando aprende sobre as vantagens fiscais disponíveis aqui é que, para a maioria delas, o quadrante D poderia muito bem ser o continente perdido da Atlântida. Uma das belezas do marketing de rede é que ele afasta o véu de mistério e começa a lhe mostrar a vida no quadrante D.

Bem-vindo à sua educação de negócios do mundo real.

Habilidades para a vida

Criar o sucesso do negócio não é uma simples questão de habilidade técnica. Ainda mais importantes são as habilidades para a vida necessárias para se negociar com sucesso no quadrante D. A chave para o sucesso duradouro na vida é sua educação e suas competências, suas experiências de vida e, acima de tudo, seu caráter pessoal.

Por exemplo, tive de aprender a superar minha insegurança, timidez e medo de rejeição. Outra habilidade de desenvolvimento pessoal que tive de aprender foi como levantar, sacudir a poeira e seguir em frente, depois de fracassar. Estes são os traços pessoais que uma pessoa deve desenvolver se quiser ser bem-sucedida em um negócio no quadrante D, independentemente de ser um marketing de rede, uma franquia ou uma nova empresa.

Se você não aprendeu essas coisas na escola – e você não as aprende no local de trabalho – e não lhe foi ensinado em casa enquanto crescia, onde vai aprendê-las? Onde cargas d'água você vai encontrar um negócio que vai investir tempo em sua educação e desenvolvimento pessoal, bem como ajudá-lo a realmente construir seu negócio?

No marketing de rede!

John: É interessante, Robert, o fato de sempre citarem a educação empresarial como o benefício mais importante que você vê no negócio, e acho que há muito mérito nesse ponto de vista. Muitas vezes, as pessoas aprendem habilidades e desenvolvem aspectos únicos através de suas experiências em marketing de rede que talvez nunca aprendessem de outra maneira.

O marketing de rede ensina as pessoas a superarem seus medos, a se comunicarem, a entenderem a psicologia de outras pessoas dizendo "Não" para elas e a manterem a persistência em face da rejeição e de outros desafios do mundo real.

Aqui estão algumas das habilidades críticas que a educação do mundo real do marketing de rede ensina:

- Ter uma atitude de sucesso
- Vestir-se para o sucesso
- Superar medos pessoais, dúvidas e falta de confiança

- Superar o medo de rejeição
- As habilidades de comunicação
- Capacidade de Lidar com Pessoas
- Competências de administração de tempo
- Habilidades de prestação de contas
- Estabelecimento de metas
- Gestão financeira
- Habilidades de Investimentos

Boas empresas de marketing de rede fornecem um sólido programa de treinamento em todas essas áreas. E eu concordo: esse tipo de educação é absolutamente impagável.

Na verdade, você teria dificuldade para encontrar uma situação em qualquer outro lugar, mesmo pagando um bom dinheiro para obter esse tipo de treinamento – imagine, então, uma situação em que *pagam a você* para que aprenda.

Temos uma expressão comum no marketing da rede que é um negócio "onde você ganha enquanto aprende". É um bom ditado, porque enfatiza o ponto-chave desse tipo de negócio: você aprende a fazer *fazendo*, não porque esteve em uma sala de aula por anos ouvindo alguém falar sobre como se faz.

O marketing de rede é uma escola de negócios do mundo real para as pessoas que querem aprender as habilidades do mundo real de um empreendedor, e não as habilidades de um empregado.

No marketing de rede, o treinamento é mais do que teoria; é experiencial. E, independentemente de chegar ou não chegar ao topo do programa específico em que você se encontra ou de fazer ou não uma grande quantidade de dinheiro, o treinamento em si é de grande valor para o resto de sua vida. Muitas pessoas, na verdade, acabam em outras empresas em que se tornam muito bem-sucedidas, devido ao treinamento e à formação que receberam em sua primeira experiência com marketing de rede.

E esse é o verdadeiro ponto aqui e o maior motivo pelo qual venho recomendando esse negócio às pessoas por mais de uma década. Quando você se junta a uma boa empresa de marketing de rede, eles não apenas lhe dão uma rota, mas também o apoiam no desenvolvimento das habilidades e qualidades necessárias para você ter sucesso.

O marketing de rede é uma escola de negócios do mundo real para as pessoas que querem aprender as habilidades do mundo real de um empresário, e não as habilidades de um empregado.

Capítulo 10

Ativo 2: Um caminho lucrativo para o desenvolvimento pessoal

Sei o que você provavelmente está dizendo: "Kiyosaki, você ficou sentimental? Por que essa conversa melosa sobre um 'caminho de desenvolvimento pessoal'? Não preciso de um grupo de encontro; preciso sobreviver. Quero construir riqueza, não cantar 'Kumbaya'!"

Calma, não amoleci: estou apenas sendo realista. Para ficar rico, não basta colocar sua moeda da sorte na máquina certa do cassino. Você não está procurando uma nova forma de suplementar renda. Na verdade, está fazendo uma mudança em seus valores essenciais. Não se trata apenas de mudar o que você faz, em um sentido muito real, é sobre mudar quem você *é*.

Meu amigo Donald Trump é bilionário hoje, mas houve um momento em que ele perdeu tudo durante uma crise imobiliária. Ele fala sobre a experiência de ter $9,2 bilhões em dívidas: "Passei por um mendigo na rua e percebi que ele tinha $9,2 bilhões a mais do que eu!" No entanto, em pouco tempo, Donald estava de volta ao topo. Por quê? Por conta de quem ele *é* – ou, mais precisamente, de quem ele havia se tornado.

Passei por uma experiência semelhante. Aos 30 anos, eu era um milionário. Dois anos mais tarde, minha empresa havia falido. Perder um negócio não foi uma experiência agradável, mas foi um grande aprendizado. Aprendi muito naqueles poucos anos – muito sobre negócios, mas ainda mais sobre mim mesmo.

Após a crise, meu Pai Rico me disse: "Dinheiro e sucesso o tornaram arrogante e estúpido. Agora, com alguma pobreza e humildade, você pode se tornar um aluno novamente." Ele estava certo. As lições aprendidas com a experiência provaram ser, ao longo do tempo, impagáveis. O fato de construir e, em seguida, perder um negócio global me proporcionou um aprendizado do mundo real que finalmente me fez rico. Ainda mais importante: foi um aprendizado que me libertou. As coisas mais importantes que aprendi no decorrer desse aprendizado não foram sobre negócio ou dinheiro – foram sobre mim.

Deixe-me perguntar algo ao John sobre isto e, se a resposta dele for o que acho que será, você entenderá o que quero dizer.

Robert: John, obviamente, nem todo mundo que vai para o marketing de rede terá o mesmo nível de sucesso. De acordo com sua experiência, qual é a principal razão para que algumas pessoas não consigam alcançar o nível de sucesso que esperavam em marketing de rede?

John: O sucesso é definido de forma diferente por pessoas diferentes. O que é importante para uma pessoa pode não ser importante para outra. Algumas pessoas estão satisfeitas em suplementar seu nível atual de renda, enquanto outras estão verdadeiramente procurando uma oportunidade de negócio que possa ser transformadora, em termos de potencial de rendimento e objetivos de estilo de vida. Você tem de definir o fracasso em sentido muito amplo. Ser capaz de ganhar $1 mil por mês pode ser visto como um fracasso para a pessoa que estava tentando construir um negócio significativo, mas um grande sucesso para uma mãe cujo objetivo era complementar a renda familiar.

Independentemente do objetivo, sabemos que aqueles que persistem no marketing de rede tendem a ficar em uma situação cada vez melhor. Na verdade, acredito que a única maneira pela qual as pessoas fracassam é quando desistem.

Mas isso demanda mais detalhamento, para ser totalmente exato. Não é apenas uma questão de ficar ou sair da empresa – isto é, de desistir da distribuição e declarar formalmente: "Estou fora." A questão aqui não é sobre desistir do negócio; é *desistir de si mesmo*.

Isso é exatamente o que eu pensava. Volto ao que disse no início deste livro: não é apenas sobre mudar o tipo de negócio com o qual você está trabalhando; é sobre a mudança *em você*. Posso até lhe mostrar o negócio perfeito, mas, para que esse empreendimento evolua, você terá de evoluir também.

O vencedor em você – e o perdedor em você

Há duas palavras para o que John acabou de descrever. Um é o *vencedor*, o outro é o *perdedor*. Cada um de nós tem um vencedor e um perdedor dentro de nós. Isso inclui a mim: há um vencedor em mim e um perdedor também e, muitas vezes, eles competem para entrar em ação. A principal razão para que a maioria das pessoas "apenas siga em frente", em vez de realmente ter sucesso na vida, é que elas permitem que o perdedor em seu interior domine. Eu não. Insisto para que o vencedor leve a melhor.

Como você sabe quando o perdedor está dominando? "Ah, não tenho dinheiro." "Ah, isso é muito arriscado." Ou: "E se eu falhar?" O vencedor está sempre pronto para assumir riscos, mas o perdedor só pensa em segurança.

É irônico. O perdedor fala incansavelmente sobre segurança e acaba preso a uma carreira e a uma vida que nunca são verdadeiramente seguras. O que há de seguro em trabalhar 40 horas por semana para uma empresa que, provavelmente, irá demitir você nos próximos anos? Ou economizar seus esquálidos rendimentos em um fundo de aposentadoria que é sugado por um fundo de investimentos que vai afundar ou em um fundo gerido por um consultor financeiro que acabará sendo outro Bernie Madoff?

Dentro de cada um de nós, há um vencedor e um perdedor, o cara rico e o pobre, aquele que trabalha e aquele que se senta no sofá. Essa é a batalha. A razão pela qual você quer participar de uma empresa de marketing de rede é que eles vão apoiar o rico dentro de você. Seus amigos perdedores querem que você fique no sofá, querem que você busque segurança e trabalhe suas 40 horas, porque, se você se conformar, então não os estará desafiando a fazer algo diferente. Não é assim para o patrocinador de seu marketing de rede. Sua equipe de marketing de rede quer que você seja bem-sucedido, quer que você vá além daquilo a que está acostumado, vá além de sua história e traga à tona o que há de mais excepcional, de mais extraordinário em você, e não permanecer comum.

É fácil dizer: "Não posso me dar esse luxo" ou "É muito caro" ou ainda "Só quero meus benefícios; não quero ter de trabalhar tão arduamente ou assumir riscos". Esse é o perdedor falando.

E você não deveria se sentir mal com isso. Todos nós temos um perdedor. Tenho um em mim, e muitas vezes ele ganha, pelo menos por um tempo curto. Todas as manhãs, penso: Quem levantou esta manhã em mim, o rico ou o pobre em mim? O vencedor ou o perdedor? Essa é a nossa batalha.

Na verdade, cada um de nós tem um elenco inteiro de personagens dentro de nós, todo um espectro de quem poderíamos vir a ser. Eu quis ser uma pessoa feliz no casamento, que faria uma contribuição para o planeta e que estaria espiritualmente inclinada para a liberdade.

Toda vez que deixamos nossos medos, nossas dúvidas ou nossa baixa autoestima ganharem, o perdedor surge e domina. Aprender a compartilhar sua visão e contar uma história poderosa, persuasiva, implica aprender a substituir o perdedor dentro de você e permitir que o vencedor venha à tona. Aprender a contar uma história poderosa é aprender a se mostrar como o vencedor que você é.

A maioria das pessoas não tem a capacidade de seguir em frente, de lidar com a decepção e de nunca perder de vista o caminho que percorrem. Elas não foram treinadas nessa habilidade. Mas ela é extremamente importante. Essa é a habilidade real de alguém que dominou o quadrante D. Isso é pensar como um empresário – e é o atributo mais importante que você pode aprender com a construção da própria empresa de marketing de rede.

Foram precisos dois anos inteiros, desde que entrei pela minha primeira vez na Xerox, para entender meu poder e deixar o vencedor em mim surgir. Eu estava prestes a ser despedido ao final desses dois anos, mas, felizmente para mim, foi quando minha autoconfiança finalmente começou a se fortalecer. Minhas vendas melhoraram e, em mais dois anos, fui constantemente o vendedor número um ou dois do meu escritório.

O marketing de rede dá a você a oportunidade de enfrentar seus medos, lidar com eles, superá-los e trazer à tona o vencedor que vive dentro de você.

Aumentar minha autoestima foi mais importante do que meu salário. Reconstruir minha autoconfiança e minha autoestima tem sido inestimável. Isso tem me ajudado a ganhar milhões de dólares. Por isso, serei sempre grato à Xerox e à equipe que me ensinou a superar meus demônios, dúvidas e medos. Hoje, recomendo fortemente o marketing de rede, porque a indústria oferece a mesma oportunidade para fortalecer e reconstruir a autoconfiança que a Xerox me ofereceu.

O marketing de rede dá a você a oportunidade de enfrentar seus medos, lidar com eles, superá-los e trazer à tona o vencedor que vive dentro de você.

E não se engane: só porque você participa de uma empresa de marketing de rede e começou a construir seu negócio, isso não significa que você tenha deixado o perdedor para trás. Serão necessários muitos anos para construir sua verdadeira liberdade. Falamos muito sobre liberdade no mundo ocidental. Mas você realmente não é livre até que tenha liberdade financeira. E isso leva tempo para se criar.

Nasci sem dinheiro e fiz e perdi minha fortuna várias vezes ao longo do caminho, então sei o que se sente ao perder tudo: é fácil, em tempos assim difíceis, o perdedor assumir. Haverá momentos em que você vai se sentir testado, quando seus amigos disserem "Eu avisei", e os membros de sua família ficarem sussurrando: "Você não acha que seria melhor colocar mais energia em seu trabalho e deixar pra lá essa coisa de rede?"

Garanto: haverá momentos em que será tentador deixar o espetáculo por conta do perdedor. Não deixe isso acontecer.

Vença!

Escola de aviação

Todas as lagartas fazem casulos antes de se tornar borboletas. Minha escola de voo foi meu casulo. Entrei como um graduado da faculdade e saí como piloto pronto para ir ao Vietnã.

Se eu tivesse ido a uma escola de aviação civil, duvido que teria sido preparado para a guerra, mesmo sendo um piloto. O que tínhamos de aprender como pilotos militares é muito diferente do que os pilotos civis têm de aprender. As habilidades são diferentes, a intensidade do treinamento é diferente e a realidade de ir para a guerra ao final do treinamento torna as coisas diferentes.

Levei quase dois anos para completar o ensino básico de voo na Flórida. Recebi meus emblemas de aviador e depois fui transferido para treinamento de voo avançado em Camp Pendleton, na Califórnia, onde o treinamento escalou em intensidade: em Camp Pendleton, fomos treinados mais para lutar do que para voar.

Depois de terminarmos a escola de aviação e nos tornarmos pilotos, tivemos um ano para nos preparar para ir ao Vietnã. Voamos constantemente, muitas vezes em condições que nos testaram mental, emocional, física e espiritualmente.

Após oito meses no programa, em Camp Pendleton, algo mudou dentro de mim. Durante um voo de treinamento, finalmente me tornei um piloto que estava pronto para ir para a guerra. Até esse ponto, eu estava voando mental, emocional e fisicamente. Algumas pessoas chamam isso de "voo mecânico". Em certa missão de treinamento, mudei espiritualmente. A missão foi tão intensa e assustadora que, de repente, todas as minhas dúvidas e os medos foram arrancados do caminho e meu espírito assumiu. Voar havia se tornado uma parte de mim. Eu me senti em paz e em casa dentro da aeronave. Ela era parte de mim. Eu estava pronto para ir ao Vietnã.

Não é verdade que eu não tivesse medo. Eu ainda tinha os mesmos medos relacionados à guerra – o medo de morrer ou, pior ainda, de ficar mutilado. A diferença era que eu então estava pronto para ir para a guerra. Minha confiança em mim mesmo era maior do que meus medos.

Meu processo para me tornar empresário e investidor foi muito parecido com esse de me tornar um piloto pronto para ir para a batalha. Fracassei duas vezes antes de, subitamente, descobrir aquela qualidade que, muitas vezes, é chamada de espírito empreendedor. É esse espírito que me mantém no lado D e I do mapa do quadrante Cashflow – não importa quão difícil sejam as coisas, fico no lado D e I, em vez de deslizar para trás, para a segurança e o conforto do lado E e A.

Eu diria que foram precisos 15 anos para eu ganhar a confiança de me sentir confortável no quadrante D. Você tem mais sorte do que eu: não precisa gastar muito tempo ou passar por fracassos e lutas como aconteceu comigo. Você pode obter esse mesmo tipo de treinamento de mudança de vida aqui na própria escola de aviação: o marketing de rede.

Como as habilidades empresariais mudaram minha vida

Agora que já falei sobre treinamento militar e sobre aprender a voar em condições de batalha nas selvas do Vietnã, quero lhe contar mais uma história sobre aprimoramento de caráter – esta não sobre o campo de batalha, mas o campo do amor.

Se eu não tivesse passado pela forma intensa de aprendizado do mundo real dos negócios, duvido que tivesse sorte suficiente para me casar com a mulher dos meus sonhos. Mas aconteceu – realmente aconteceu.

Quando conheci a Kim, achei que ela era a mulher mais linda do mundo. Fiquei sem palavras, completamente apavorado com a ideia de ir falar com ela. No entanto, minha formação profissional me ensinara a superar meu medo do fracasso e da rejeição – e esse treinamento estava prestes a me recompensar, imensamente. Em vez de me esconder no fundo da sala e ficar olhando para ela de longe, que é exatamente o que eu teria feito anos antes, caminhei com ousadia em sua direção e disse: "Oi."

Kim se virou e exibiu seu lindo sorriso – e eu me apaixonei. Ela havia saído dos meus sonhos. Mas quando a convidei para sair, ela disse: "Não."

Um Robert Kiyosaki anterior talvez tivesse se afastado e admitido a derrota. Mas meu treinamento profissional me havia ensinado a ser tenaz: acalmei meus nervos e novamente a convidei a sair. Mais uma vez, ela disse "Não". Agora minha autoconfiança estava abalada, e meu ego masculino, desaparecendo, mas convidei-a para sair mais uma vez – e novamente a resposta foi "Não".

Isso durou seis meses. Cada vez que ela dizia "Não", eu me escondia para lamber meu ego ferido. Estava machucado por dentro. Se eu não tivesse aprendido a superar minhas próprias dúvidas, nunca poderia ter feito essa mesma pergunta por seis meses – mas fiz. E, finalmente, um dia, ela disse "Sim". Estamos juntos desde então.

Conto essa história não só porque é terna e diferente; conto porque assinala uma questão crítica: não se trata apenas de negócios e dinheiro. É da sua vida que estamos falando. A maneira como ganha seu dinheiro e constrói sua carreira é a mesma que faz você cumprir seu destino e construir seu legado.

Capítulo 11

Ativo 3: Um círculo de amigos que compartilham seus sonhos e valores

Pode ser difícil ouvir isso, mas se você quiser criar uma economia diferente talvez precise mais de novos amigos do que de obter um novo emprego. Por quê? Porque, mesmo que eles amem você e mesmo que não seja de propósito, os amigos com quem está saindo agora podem estar impedindo que você siga em frente.

Você pode já ter ouvido que sua renda tende a ser aproximadamente igual à média da renda de seus cinco amigos mais próximos. E, sem dúvida alguma, você já ouviu o ditado "Diga-me com quem andas e eu te direi quem és". Isso vale para os ricos, os pobres e para a classe média. Em outras palavras, os ricos se relacionam com os ricos, os pobres, com os pobres, e a classe média sai com a classe média.

Meu Pai Rico sempre dizia: "Se você quer ficar rico, precisa criar uma *network* com aqueles que são ricos ou que podem ajudá-lo a se tornar rico."

Muitas pessoas passam a vida saindo e se relacionando com pessoas que as impedem de avançar financeiramente. Em um negócio de marketing de rede, você sai com pessoas que estão lá para ajudá-lo a se tornar mais rico. Pergunte a si mesmo: "Será que o povo com quem saio está empenhado em me tornar mais rico? Ou eles estão mais interessados em que eu continue sendo empregado?"

Aos 15 anos, eu sabia que queria me tornar financeiramente livre, e uma maneira de fazer isso era aprender a me relacionar com pessoas que poderiam me ajudar a me tornar financeiramente livre. Decidi que iria procurar a amizade de pessoas que estavam interessadas em me tornar uma pessoa rica, em vez de me transformar em um empregado leal que trabalhasse para os ricos.

Este foi um momento transformador. Não foi uma decisão fácil, porque, aos 15 anos, eu precisava ter muito cuidado com quem despendia meu tempo e quais professores deveria ouvir. Se você estiver considerando construir o próprio negócio, precisa estar extremamente consciente das pessoas com as quais se relaciona e quem são seus professores. É uma consideração crucial.

A coisa mais difícil sobre sair da Xerox foi que tive de abandonar algumas amizades. A maioria dos meus amigos e familiares estava no quadrante E e eles tinham valores diferentes dos meus. Eles valorizavam segurança e salário fixo, enquanto eu valorizava liberdade e independência financeira. Isso fez da minha decisão uma experiência dolorosa, mas foi uma decisão necessária para que eu pudesse crescer.

Você pode muito bem experimentar algo semelhante no marketing de rede. Pode descobrir que existem amigos ou familiares que não entendem ou não simpatizam com sua decisão de participar do marketing de rede ou pode até mesmo tentar ativamente desanimá-lo. Você pode ter amigos que dirão que você está louco, que é um otário ou que está cometendo um grande erro. Você pode até mesmo perder amigos. Hesito em escrever essa sentença porque soa pesado. Mas é por isso que é dura. É a realidade.

E veja: isso nada tem a ver com marketing de rede em si. O que realmente está acontecendo aqui é que você está fazendo uma mudança sísmica na vida, de viver no quadrante E ou A para passar a viver no quadrante D. Isso não significa apenas mudar de emprego, é mais como mudar-se para um país diferente, mudar de religião ou de partido político.

O marketing de rede não só possibilita uma educação em negócios, como também oferece um mundo totalmente novo de amizades – amigos que estão indo na mesma direção que você e que compartilham os mesmos valores essenciais.

O poeta inglês John Donne escreveu: "Nenhum homem é uma ilha, sozinho em si mesmo; cada homem é uma parte do continente, parte do todo." Ele disse isso em 1623, e é mil vezes mais verdadeiro no mundo incrivelmente interligado de hoje. Você não pode ficar rico caso se isole; você é o reflexo da comunidade de pessoas com as quais se relaciona, conversa, trabalha e se diverte.

John: Isso é verdade em todos os aspectos da vida, mas é especialmente verdadeiro e especialmente relevante no marketing de rede, porque, quando você constrói um negócio dessa natureza, está realmente construindo em torno de si uma poderosa comunidade de novos amigos que estão aprendendo os mesmos tipos de valores e habilidades do mundo real do empreendedorismo que você.

Esta é também uma das grandes vantagens de um negócio de marketing de rede: em vez de estar rodeado por pessoas que estão competindo com você pela próxima promoção, aqui sua empresa está cheia de pessoas que estão tão comprometidas com seu sucesso quanto você, porque seu sucesso é o que garante o sucesso delas. São boas as chances de que algumas se tornem seus melhores novos amigos.

Na verdade, de acordo com a Direct Selling Association (DSA), muitas pessoas que se unem a empresas de marketing de rede e ali permanecem classificam *a rede social a que pertencem* como uma prioridade ainda maior do que a renda que recebem.

É isso: o marketing de rede não proporciona apenas uma boa educação em negócios; também possibilita um mundo totalmente novo de amigos – amigos que estão indo na mesma direção que você e que compartilham com você os mesmos valores essenciais.

Para mim, o tipo de amizade de que John está falando é tão inestimável quanto o melhor treinamento em empreendedorismo.

Hoje tenho amigos em todos os quatro quadrantes, mas meus amigos mais próximos – aqueles com quem realmente me relaciono, cujas amizades são preciosas – estão nos quadrantes D e I.

E, a propósito, aqueles amigos que deixei para trás na Xerox? Eles ainda são grandes amigos hoje. Sempre serão grandes amigos, porque me apoiaram em uma fase de transição da vida. Mas, para mim, era hora de seguir em frente. Se é hora de você seguir em frente e o quadrante D está clamando por você, então talvez queira participar de uma empresa de marketing de rede e começar a conhecer novos amigos.

Capítulo 12

Ativo 4: O poder de sua própria rede

Uma das primeiras coisas que me intrigaram sobre esse modelo de negócio quando comecei a olhar para ele mais seriamente na década de 1990 foi o simples fato de que ele usava a palavra *rede*. Lembrei-me de que meu Pai Rico realmente respeitava esse termo.

Thomas Edison foi um dos heróis de meu Pai Rico. As pessoas hoje se lembram dele, com frequência, como o inventor da lâmpada, mas isso não é verdade. Edison não inventou a lâmpada; o que ele fez foi melhorá-la e aperfeiçoá-la. Mais importante ainda: percebeu que poderia transformá-la em um negócio.

Depois de abandonar a escola (porque seus professores achavam que ele não era inteligente o suficiente para ter sucesso lá), Edison se empregou como vendedor de doces e revistas nas ferrovias. Logo, ele passou a imprimir o próprio jornal e, em um ano, contratou uma equipe de meninos para vender doces juntamente com seu jornal. Ele passou de empregado a empresário.

O poder não está no produto; o poder está na rede. Se você quiser ficar rico, a melhor estratégia é encontrar um meio de construir uma rede forte, viável, com possibilidade de crescimento.

O jovem Edison cansou de vender jornais e aprendeu a enviar e receber mensagens em código Morse, para que pudesse conseguir um emprego como operador de telégrafo. Logo ele se transformou em um dos melhores operadores de telégrafo que havia – e foi então que ele aprendeu o segredo que faria dele milionário. Como operador, ele viu o que havia transformado a invenção do telégrafo em um sucesso: o sistema de linhas, postes, pessoas qualificadas e as estações de retransmissão. Era o poder de uma rede.

Ainda que Edison seja famoso por mexer com o bulbo e aperfeiçoar o filamento que tornou a lâmpada mais prática, seu verdadeiro golpe de gênio foi criar uma empresa que colocava linhas elétricas que permitiram que a lâmpada penetrasse na sociedade. A empresa fundada por Edison faria dele um multimilionário. Foi chamada de General Electric – a GE.

O que fez da empresa de Edison tão revolucionária não foi a lâmpada em si, mas o sistema de linhas elétricas e as estações de retransmissão que acendiam as lâmpadas. Foi *a rede*.

Meu Pai Rico me disse: "As pessoas mais ricas do mundo constroem redes. Todos as outras procuram por emprego."

Dos magnatas do transporte e barões da ferrovia até Sam Walton, Bill Gates e Jeff Bezos, as grandes fortunas do mundo foram feitas por aqueles que descobriram como construir redes. Sam Walton não fabricou produtos para as pessoas; construiu a rede de distribuição que entrega as mercadorias. Bill Gates não construiu computadores; construiu o sistema operacional que roda nesses computadores. Jeff Bezos não entrou na publicação de livros; criou a Amazon, a rede on-line que faz a entrega dos livros.

O poder não está no produto; o poder está na rede. Se você quiser enriquecer, a melhor estratégia é encontrar um meio de construir uma rede forte, viável, de bom crescimento.

Naturalmente, a maioria de nós não é Thomas Edison, Sam Walton ou Bill Gates, nem nunca será. Sim, sempre haverá um punhado de pioneiros incrivelmente criativos em cada geração, que criarão novas redes de bilhões de dólares a partir do zero, como aqueles homens fizeram, mas não é uma ambição razoável para dezenas de milhares de pessoas, muito menos para milhões.

É por isso que o marketing de rede é tão brilhante. As empresas que compõem a indústria do marketing de rede já oferecem a milhões de pessoas, exatamente como você, a oportunidade de construir as próprias redes, em vez de passar a vida trabalhando para as redes de outras pessoas.

Lei de Metcalfe

É atribuída a Robert Metcalfe, o fundador da 3Com e um dos criadores da Ethernet, a criação de uma equação que define o valor das redes:

$$V = N^2$$

Em outras palavras, o valor econômico de uma rede é igual ao número de usuários da rede ao quadrado.

Colocando a Lei de Metcalfe em vocábulos mais simples, isso significa que, à medida que você adiciona usuários, o valor da rede aumenta geometricamente.

Pense em uma rede de telefones. Se houvesse apenas um telefone, esse único telefone não teria valor econômico real. (Se você é o único com um telefone, quem você chamaria?) No momento em que você adiciona um telefone, de acordo com a Lei de Metcalfe, o valor econômico da rede de telefonia é elevado ao quadrado. O valor econômico da rede iria de zero a dois ao quadrado, ou quatro. Adicione um terceiro telefone e o valor econômico da rede agora é nove. Em outras palavras, o valor econômico de uma rede sobe exponencialmente, não numericamente.

As redes chegam ao mundo empresarial

O clássico modelo de negócios da Era Industrial funcionava como um império. Era controlado por um poderoso "governo" central que mantinha sua identidade fortemente centralizada, não importa o quanto crescesse.

Na década de 1950, um novo tipo de negócio surgiu e manteve sua coerência não por meio de um controle de todas as suas partes em um único escritório central, mas, em vez disso, usando o modelo de uma rede. Essa ideia foi tão revolucionária que muitos a criticaram e o Congresso dos Estados Unidos esteve a apenas 11 votos de declará-la ilegal. Mas ela sobreviveu e hoje é responsável por mais de 3% das vendas no varejo americano e está florescendo ao redor do globo. Algumas de suas marcas mais famosas incluem Ace Hardware, Subway e, claro, a mais famosa de todas elas: o McDonald's.

Esse modelo negocial radical é chamado de franquia ou *franchise*.

A franquia é um tipo de rede de negócios em que múltiplos proprietários de negócios trabalham todos a partir de um mesmo projeto. Em um sentido muito pragmático, pode-se dizer que todos compartilham dos mesmos valores.

Mas as *franchises* foram apenas um passo no processo de desenvolvimento de redes no mundo empresarial. Vou deixar que John lhe diga o que aconteceu em seguida.

John: Robert está certo. Isso não é apenas uma questão de pagar uma comissão de maneira diferente, ou de transferir a responsabilidade de marketing para outra pessoa. É realmente uma maneira totalmente diversa de olhar para um negócio – que reflete uma economia da Era da Informação, através de redes, e não uma economia que centraliza, de propaganda de massas da Era Industrial.

Depois das *franchises*, o próximo passo no desenvolvimento de negócios em rede começou nos anos 1960, acelerando-se nas décadas de 1970 e 1980. Em vez de uma rede de empresas franqueadas, esse modelo se construiu através de uma rede de *indivíduos* franqueados. Em certo sentido, você poderia chamar isso de "franquia pessoal".

Como o modelo de franquia original, esse novo tipo de negócio também ficou na mira de uma série de críticas; ainda assim, apesar de seus críticos, sobreviveu e prosperou.

Esse modelo é chamado de marketing de rede.

Robert: E, a propósito, a verdade sobre as *franchises* é que, como proprietário de uma franquia, você é parte de uma rede – mas não possui a rede; você é dono apenas do seu negócio em particular. Como proprietário de um marketing de rede, por outro lado. . .

John: Sim, você não só constrói a rede, como também tem a própria rede. E, como você disse, Robert, isso lhe dá uma tremenda alavancagem financeira.

Em outras palavras, como proprietário de um marketing de rede, você pessoalmente passa a aproveitar o poder da Lei de Metcalfe.

Como? Isso não acontece apenas se filiando a uma empresa de marketing de rede. É como ser o único a possuir um telefone. Para aproveitar o poder da Lei de Metcalfe, você tem de fazer a rede crescer, duplicando-se em alguém mais como você: um sócio. No momento em que há dois de você, o valor econômico de sua rede é elevado ao quadrado. Quando há três de você, o valor econômico de sua rede vai de quarto para nove. Quando as duas pessoas que você trouxe também trazem mais duas pessoas cada, o valor econômico de sua rede começa a parecer um foguete decolando para a lua. Você está trabalhando aritmeticamente, mas seu valor econômico está crescendo de forma exponencial.

Em linguagem simples, a Lei de Metcalfe significa que uma rede funciona como uma alavanca: permite que você alavanque seu tempo e esforço.

Arquimedes, o engenheiro da Grécia antiga creditado com a descoberta do princípio da alavancagem, declarou: "Dê-me um ponto de apoio e uma alavanca e moverei a Terra." Para demonstrar o poder praticamente sem limites da alavancagem, ele montou um elaborado sistema de cordas e polias, e amarrou a essa vasta matriz de cordas uma frota inteira de navios de guerra gregos. Quando tudo estava pronto e a multidão que assistia ficou em silêncio, Arquimedes pegou um pedaço de madeira e puxou com toda a força – e toda a frota de navios começou a se mover na água!

Este é o poder de uma rede.

Através da matriz de cordas, Archimedes pôde realizar uma façanha que normalmente necessitaria da força combinada de vários milhares de remadores. E o que exatamente era a matriz de cordas? Uma *rede*.

Essa é a força fenomenal que faz espalhar rumores: uma pessoa conta algo a três, que, por sua vez, contam a outras três, que dizem a mais três, e logo todo mundo na cidade sabe sobre o que se falou. É assim que as tendências da moda se espalham. E essa é a estratégia central de uma empresa de marketing de rede: aproveitar o poder da Lei Metcalfe para duplicar seus esforços através de uma rede de pessoas.

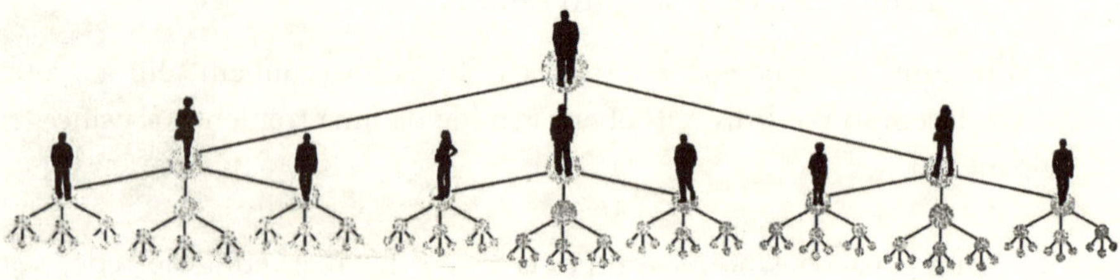

O marketing de rede é um dos modelos de negócio que mais crescem no mundo hoje, mas a maioria das pessoas ainda não se deu conta disso. Por que não? As pessoas podem ver o produto – produtos de cuidados pessoais ou serviços de telecomunicações, financeiros e legais –, mas não percebem que isso não é realmente o negócio. O verdadeiro *business* não é o produto, mas as redes através das quais o produto viaja – não o bulbo da luz de Edison, mas a rede elétrica.

As pessoas ainda não compreendem o valor do marketing de rede porque é invisível: ele não é material, é virtual. Você não pode ver com os olhos, porque há muito pouco para se ver. É um modelo de negócio genuinamente da Era da Informação: para compreender seu valor, não é suficiente abrir os olhos, você precisa abrir a mente. Não há arcos dourados, nem sereias verdes acenando-lhe para entrar em seu local de negócios. O *business* do marketing de rede explodiu em todo o mundo, mas as massas muitas vezes ainda não o veem.

Empresas como a General Motors e a General Electric são da Era Industrial. As franquias – McDonald's, Subway, UPS, Ace Hardware e outras – são empresas de transição que surgiram como pontes para a passagem da Era Industrial para a Era da Informação. Empresas de marketing de rede são genuinamente da Era da Informação das empresas, porque não lidam com terra e materiais, fábricas e funcionários, mas com informação pura.

Como participante de uma empresa de marketing de rede, você talvez pense que seu trabalho consiste em demonstrar e vender um produto. Não é. Seu trabalho é comunicar informações, para contar uma história poderosa e construir uma rede.

Capítulo 13

Ativo 5: Um negócio duplicável, totalmente escalável

Aqui está uma verdade crítica sobre o marketing de rede que pode surpreendê-lo: não é um negócio para aqueles que são especialistas em vendas. Prometi alguns capítulos atrás que John diria mais a respeito – e esta é a hora.

Robert: John, você concorda que as pessoas mais bem-sucedidas no marketing de rede não são necessariamente os melhores vendedores natos?

John: Não só concordo totalmente, como na verdade diria que, de certa forma, o *oposto* é verdadeiro. Para um "vendedor nato" obter sucesso em marketing de rede, muitas vezes a primeira coisa que tem de fazer é *esquecer tudo o que sabe sobre vendas.*

Muitos dos mais bem-sucedidos participantes do marketing de rede que já vi foram treinadores, mães, pastores, professores – pessoas que realmente gostam de contar histórias e ajudar os outros. O marketing de rede trata do compartilhamento de informação e de histórias pessoais, e não de vendas pesadas. É também sobre se importar com o sucesso daqueles que você traz para o negócio.

O que é uma coisa boa, por sinal, porque, de qualquer maneira, apenas 1 pessoa em 20 é um vendedor nato.

A chave do sucesso em vendas é o que você tem condições de fazer.
A chave do sucesso no marketing de rede é o que você pode duplicar.

Robert: Às vezes, quando digo que não se trata de vendas, recebo uma reação cínica. "Sim, mas você não está meio que discutindo o sexo dos anjos? Quero dizer, se você chama de *vender* ou *compartilhar informações*, não é apenas semântica?"

John: Não, não é semântica, e você não está sendo detalhista. É esse fator de duplicação que, na verdade, mostra drasticamente a enorme diferença entre vendas e marketing da rede.

Aqui está o que eu diria a essa pessoa:

"Se você é um vendedor incrível, *superstar*, singularmente qualificado, então pode se dar muito bem em vendas e são boas as chances de que se dê mal em marketing de rede."

Por quê? Porque, ainda que você possa vender muito, *a maioria das pessoas na sua rede não será capaz de duplicar o que você faz*. Consequentemente, sua rede não pode crescer e acaba morrendo precocemente.

Robert: Porque você a sufocou no berço.

John: Isso mesmo, e já vi isso acontecer muitas vezes. Costumo ver pessoas criativas e talentosas que começam no marketing de rede e dão com os burros n'água porque pensam que o caminho para ser bem-sucedido é utilizar sua criatividade, talento e habilidades únicas para ser o máximo. Mas não é uma questão do que você pode fazer; é o que você pode e, então, o que os *outros* também podem fazer.

Também vi empresas cometerem o erro de reconhecer muito acentuadamente altos níveis de vendas pessoais em vez de colocar mais ênfase em mostrar a todos como duplicar seus esforços em prol do desempenho alheio. A capacidade para duplicar é a chave mágica aqui, não a capacidade de ser um vendedor de elite. Quando empresas de marketing de rede não conseguem tornar isso bem claro, prejudicam a própria capacidade de continuamente desenvolver e dinamizar seu motor de crescimento: as pessoas que se duplicam.

Robert: É fascinante porque, quando você fala sobre as pessoas que tentam ser engenhosas nisso, sabe o que é isso? Isso é pensar como uma pessoa no Quadrante A – não no quadrante D. Quando você vive no quadrante A, então deve ser brilhante, criativo e original! Mas no quadrante D? É um golpe mortal.

Henry Ford não criou um império e mudou a face do planeta construindo um modelo de negócio em torno das habilidades e talentos de seus trabalhadores.

No entanto, ele poderia ter contratado artesãos especialistas para fazer seus carros. Teriam sido carros incríveis – e talvez ele tivesse vendido algumas centenas deles. Em vez disso, ele projetou um modelo em que pessoas comuns podiam usar seu tempo e esforço para produzir em massa milhões de carros.

Ford pensava como uma pessoa que vivia inteiramente no quadrante D.

John: Eu não teria pensado em colocar dessa maneira, mas isso é exatamente o que é. E, se você quiser ser bem-sucedido em marketing da rede, é assim que tem de pensar.

Mais uma vez, o que dá a seu negócio de marketing de rede o poder real não é o que você pode fazer, é o que pode duplicar. Em outras palavras, você quer construir seu negócio de uma forma que praticamente qualquer outra pessoa pode facilmente copiar. Por quê? Porque outros copiando o que você faz é exatamente o que você quer que aconteça – o que você *precisa* que aconteça. Isso é o que cria seu sucesso.

Vamos voltar a essa discussão da duplicação em um momento, mas primeiro quero falar um pouco sobre esse termo *escalável*.

Ferramentas de informação para escalabilidade infinita

Outra maneira de dizer o que John está falando quando ele diz que o segredo é duplicação, é esta: o poder de seu negócio está em sua *escalabilidade*. Um negócio que é *escalável* significa um *business* que pode operar em qualquer escala.

Isso muitas vezes representa, para os empresários, dar certo ou quebrar. O mundo está cheio de candidatos a empresários que criam empresas maravilhosas, enquanto eles estão operando em uma escala tão pequena que podem controlar pessoalmente todos os aspectos do negócio. Mas há muito poucos empresários que sabem como projetar um minúsculo modelo de negócio para que ele possa ser multiplicado e replicado muitas vezes sem sua participação direta.

Esse foi o brilhante segredo de Ray Kroc na criação do fenômeno McDonald's. Ele não buscou um corpo de elite de *restaurateurs* especialmente talentosos, de alto nível de *expertise*, para administrar suas múltiplas operações. Em vez disso, *projetou a* expertise *diretamente na operação.*

Isso é exatamente o que as empresas inteligentes de marketing de rede têm feito. Em vez de tentar recrutar apenas os oradores, apresentadores e vendedores mais qualificados, projetam a apresentação no próprio sistema, na forma de *ferramentas de informações* – e, como diz John, isso não aconteceu da noite para o dia.

John: Nos primeiros momentos do marketing de rede, seus participantes enfrentaram um desafio espinhoso: ainda que seja verdade que qualquer pessoa pode aprender a fazer uma apresentação, não é verdade que qualquer um pode fazer uma apresentação *eficaz*. Isso significava que, embora teoricamente "qualquer um" pudesse ser bem-sucedido nesse negócio, muitas vezes não era assim na realidade.

No início, o negócio realmente contava com pessoas que tinham grandes técnicas de apresentação, e uma boa parte da aprendizagem do negócio consistia em aprender a fazer uma grande apresentação. Mas, assim como ocorre com as vendas, poucas pessoas conseguirão ser verdadeiramente hábeis em fazer uma apresentação profissional bem acabada. Portanto, isso colocou uma séria limitação na capacidade de crescimento das empresas.

Robert: E foi aí que as ferramentas de apresentação apareceram.

John: Isso mesmo. Anos atrás, as pessoas tentaram fazer isso com folhetos e livros de vendas, e tiveram algum grau de sucesso. Ainda que a pessoa média não seja capaz de se tornar um grande apresentador, poderia ter alguma esperança através de um folheto ou catálogo. Mas brochuras e folhetos não são exatamente atraentes o suficiente para captar o interesse de alguém como acontece com uma grande apresentação ao vivo de um apresentador dinâmico.

Ao longo das últimas décadas, porém, tem havido uma mudança sísmica na tecnologia de apresentação. A explosão da tecnologia digital nivelou o campo de atuação. Ferramentas digitais – CDs, DVDs e mídia on-line – tornaram possível recriar a qualidade dinâmica envolvente de uma apresentação ao vivo.

Acho interessante que você esteja chamando este livro de *O negócio do século XXI*, Robert, porque, mesmo existindo há décadas, de uma forma muito real, esse modelo de negócio só agora está mostrando seu potencial real – e aquilo de que estamos falando agora é uma das razões.

Hoje, quando você inicia o próprio negócio de marketing de rede, não tem de se tornar um orador hábil. Na verdade, tentar ser um pode trabalhar contra você, porque, mais uma vez, essa é uma habilidade altamente especializada e, portanto, não muito duplicável.

Em vez de treinar para se tornar um palestrante e apresentador especialista, você usa as ferramentas de negócios fornecidas por sua empresa para *fazer as apresentações por você.*

Além do mais, essas ferramentas de negócios são muito acessíveis, tanto porque é do interesse das empresas torná-las acessíveis quanto porque a tecnologia tornou isso possível.

CDs, DVDs e apresentações on-line de baixo custo e alta qualidade têm tornado possível o sonho de um marketing de rede verdadeiramente democrático e *totalmente escalável*, criando um modelo de negócio que permitiu que milhões tivessem acesso e sucesso.

Você percebe o que isso significa? Significa que, quando você está construindo sua rede, está construindo um ativo *totalmente escalável.* Simplificando, isso significa que você pode expandir seu *business* tanto quanto queira.

Antes de prosseguirmos, porém, tenho de ser o advogado do diabo mais uma vez.

Robert: John, tenho de perguntar sobre o que tenho ouvido dos céticos quando ouvem falar sobre a possibilidade de ser duplicável:

"Então, se você realmente não tem de ser um vendedor de elite e não tem de ser um orador ou apresentador profissional, o que você faz? Por que a empresa ainda precisa de você?"

John: Você cria a rede. É por isso que é chamado de marketing de rede, e é por isso que a empresa precisa de você e é por isso que lhe pagam.

Como um participante da rede, a descrição do seu trabalho, por assim dizer, é se conectar com as pessoas, convidando-as a experimentar os produtos sobre os quais você está animado e a darem uma olhada nas informações que você tem; depois basta acompanhar os resultados. Então, uma vez que elas decidem participar, você compartilha com elas seu entusiasmo, suas experiências, e as ajuda a fazer o que você aprendeu a fazer. Aqui, de novo, há ferramentas digitais que podem retirar de seus ombros uma quantidade enorme da carga de treinamento e especialização.

Seu trabalho é construir relacionamentos, conversar, explorar possibilidades, relacionar-se com as pessoas e ajudá-las a entender do que se trata esse negócio.

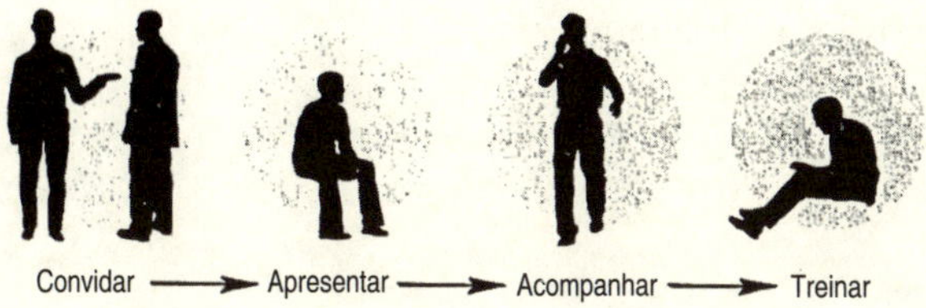

Portanto, há partes desse negócio que uma ferramenta pode fazer melhor do que você: a apresentação e, até certo ponto, o treinamento. E há partes que só você pode fazer de forma excepcional, e essa é a parte de conexão humana.

Aqui está a ideia central: em termos de marketing de rede, *você é o mensageiro, não a mensagem.*

Longe se vão os dias de carregar consigo uma mala pesada de produtos para amostra, estabelecer uma loja de varejo em sua sala de estar ou ter de memorizar longas listas de características do produto e de estatísticas financeiras. Este é o século XXI. No marketing de redes atual, as ferramentas fazem isso tudo. Seu trabalho é conectar e convidar.

Porém, a propósito, isso não significa que você não precise ser qualificado. Definitivamente, precisa. Você precisa desenvolver as habilidades que leu na parte de Ativo 1: a capacidade de ter autoconfiança, suportar a rejeição, comunicar-se, ser um grande contador de histórias, importar-se com as pessoas, ser um bom *coach* e todo o resto.

Mas essas são habilidades disponíveis a qualquer pessoa. Se você já ajudou a montar uma liga de futebol, um clube de xadrez ou um grupo de pais e mestres, já fez parte de uma campanha política ou do comitê da igreja, já treinou alguma turma de futebol na escola de seus filhos ou formou a própria banda, então você sabe como se constrói uma rede.

Você não precisa de vendedores altamente qualificados para duplicar o que faz; precisa, sim, é de pessoas que estejam dispostas a aprender habilidades básicas de comunicação e negócios e que queiram evoluir para serem empresárias e chefes de equipe determinados.

Pouquíssimas pessoas são verdadeiramente hábeis em vendas. Mas praticamente qualquer um pode se tornar hábil em *networking*, treinamento e formação de equipe. O que significa que esse negócio está aberto para ser negociado por centenas de milhões de pares, já que você tem um negócio prontamente duplicável, totalmente *escalável*. Quando você chegar a cinco pessoas e depois a 50, terá dominado as habilidades básicas que o levarão a crescer para 500, 5 mil e mais além.

O que nos leva à liderança.

Capítulo 14

Ativo 6: Habilidades incomparáveis de liderança

Quando fui pesquisar o mundo do marketing de rede, participei de muitas reuniões e eventos em que ouvi dezenas de pessoas falando de seus esforços para inspirar outras a encontrar a própria grandeza pessoal.

Enquanto eu ouvia essas pessoas contarem as histórias de como haviam começado do nada e como se tornaram ricas além da imaginação, percebi que esse negócio estava fazendo por essas pessoas exatamente o que meu Pai Rico me disse para fazer: não estava apenas lhes ensinando os princípios dos negócios; mas moldando-as para serem líderes.

Ainda que parecesse que elas estivessem falando muito sobre dinheiro, estavam, em realidade, inspirando outros a saírem de suas conchas, irem além de seus medos e realizarem seus sonhos. Para fazer isso, o orador precisa ter habilidades de liderança. A razão pela qual a liderança se faz necessária é que, ainda que muitas pessoas possam repetir as mesmas palavras e frases mais do que usadas sobre sonhos, tempo extra com a família e liberdade, poucas são aquelas que conseguem passar confiança suficiente e inspiração para fazer que outros sigam tais palavras e frases.

Não é uma questão de memorizar e repetir as palavras certas; é o desenvolvimento da capacidade de falar diretamente com o espírito de outras pessoas. Esta é uma qualidade que vai além das palavras. Isto é liderança genuína.

A liderança é a força que tudo une. A liderança é o que constrói grandes negócios.

Você pode pensar que as habilidades de liderança seriam incluídas na parte do Ativo 1, "Uma Educação de Negócios do Mundo Real", ou do Ativo 2, "Um Caminho Lucrativo de Desenvolvimento Pessoal". Isso é razoável; valeria para ambos. Mas a verdade é que ter a capacidade de liderar é um conjunto de habilidades tão valioso, tão poderoso e tão raro, que é verdadeiramente um ativo em si mesmo, e merece seu próprio capítulo.

Todas as outras habilidades negociais são ingredientes importantes. Liderança é a força em torno da qual tudo se une. Liderança é o que constrói grandes negócios.

Falando diretamente para o espírito

Cresci nos anos 1950 e 1960, e John F. Kennedy foi um dos maiores oradores que já ouvi. Quando ele disse à nação, em maio de 1961, que iríamos colocar um homem na lua *naquela década*, os cientistas não tinham a menor ideia de como seria possível realizar essa façanha. Foi mais do que ambicioso, foi ultrajante. E, ainda assim, conseguimos. Mesmo que JFK tenha sido assassinado menos de três anos depois, com três quartos de década ainda por vir, sua liderança havia sido tão convincente e tão poderosa que sua visão persistiu, mesmo após a sua morte. Apesar de seu assassinato, apesar da catástrofe do Vietnã, apesar de a nação ter sido abalada por greves e divisões e do manto presidencial ter sido passado ao vice-presidente de JFK, seu antigo rival, Richard Nixon, em 1968, o que fizemos?

Colocamos um homem na lua em 1969 – dentro da década, sem dúvida.

Isso é liderança: o poder de fazer as coisas acontecerem através da força absoluta da visão que você compartilha. Verdadeiros líderes podem mover montanhas.

No Vietnã, descobri que os grandes líderes não eram pessoas duronas que gritavam e esperneavam ou que se mostravam fisicamente abusivas. No calor da batalha, descobri que líderes valentes e poderosos eram muitas vezes silenciosos, mas, quando eles falavam, falavam para nossas almas e nossos espíritos.

O dinheiro não flui para as empresas com os melhores produtos ou serviços. O dinheiro flui para as empresas com os melhores líderes.

Todos os grandes líderes foram grandes contadores de histórias capazes de comunicar sua visão de tal forma vívida que outros também a viram. Olhe para Jesus Cristo, Buda, Madre Teresa, Gandhi, Maomé. Todos eles foram grandes líderes, o que significa que foram grandes contadores de histórias.

Dinheiro não vai para o negócio com os melhores produtos ou serviços. Dinheiro flui para o negócio que conta com os melhores líderes. Uma empresa que se esqueceu de como contar a própria história logo sai do mercado, mesmo que tenha toneladas de estoque. Quando encontro uma empresa que está passando por problemas financeiros, muitas vezes é porque seu líder não consegue comunicar a visão da empresa – ele não consegue contar histórias. Eles podem ser inteligentes, mas são comunicadores medíocres.

As habilidades de liderança que você precisa desenvolver para o quadrante D são muito diferentes da capacidade de gestão que, na maioria das vezes, é necessária para os quadrantes E e A. Não me interpretem mal: habilidades de gestão são importantes, mas há uma grande diferença entre gestão de competências e habilidades de liderança. Gerentes não são necessariamente líderes, e líderes não são necessariamente gestores.

Encontro muitas pessoas no quadrante A, especialistas ou proprietários de pequenas empresas, que gostariam de expandir seus negócios, mas não podem, por um motivo: eles não têm habilidades de liderança. Ninguém quer segui-los. Seus empregados não confiam neles, não são inspirados por eles. Encontrei muitos gerentes de nível médio que não conseguem subir a escada corporativa porque não conseguem se comunicar com os outros. O mundo está cheio de pessoas solitárias que não conseguem encontrar o homem ou a mulher de seus sonhos porque não conseguem comunicar que são boas pessoas.

A comunicação afeta todos os aspectos da vida – e esta é a principal habilidade que o marketing de rede ensina.

Os líderes de marketing de rede às vezes se descrevem como "contadores de histórias muito bem pagos". Na verdade, eles estão entre os contadores de histórias *mais* bem pagos, e há uma razão muito simples para isso: eles estão entre os *melhores* contadores de histórias.

Quando comecei a frequentar os treinamentos de marketing de redes, encontrei proprietários de empresas altamente bem-sucedidos, do mundo real, que haviam começado seus negócios a partir do zero. Muitos foram grandes professores porque eles estavam ensinando a partir da experiência, e não da teoria. Sentado nos auditórios dos seminários de negócios, muitas vezes me peguei balançando a cabeça positivamente, concordando com suas conversas sem rodeios sobre o que é preciso fazer para sobreviver nas vielas do mundo real dos negócios.

Depois dos seminários, muitas vezes eu ia conversar com os instrutores. Fiquei espantado com a quantidade de dinheiro que eles faziam, não apenas com os próprios negócios, mas também com investimentos. Vários ganhavam mais do que muitos CEOs da elite corporativa.

No entanto, havia algo mais nesses professores que me deixou ainda mais impressionado. Embora eles fossem ricos e certamente *não precisassem* estar à frente desses eventos, tinham paixão por ensinar e ajudar seus pares.

Comecei a perceber que uma empresa de marketing de rede se baseia nos líderes erguendo as pessoas, enquanto um negócio de empresas tradicionais ou do governo se baseia em promover alguns apenas, mantendo a massa de trabalhadores satisfeita com um salário fixo. Estes instrutores no mundo do marketing de rede não saem dizendo: "Se você não produzir, perderá o emprego." Em vez disso, dizem: "Deixe-me ajudá-lo a fazer cada vez melhor. Enquanto você quiser aprender, estarei aqui para lhe ensinar. Estamos no mesmo barco."

Um tipo muito especial de líder

Muitas pessoas têm qualidades intrínsecas de liderança, mas essas qualidades nunca são externalizadas. Elas nunca têm a oportunidade. Meu Pai Rico entendia isso. Uma razão pela qual ele me encorajou a ir para o Corpo de Fuzileiros Navais e, em seguida, para o Vietnã foi para que eu desenvolvesse minhas habilidades de liderança. Mas você não precisa se juntar aos militares para ter a chance de fazer florescer o líder em você. Essa oportunidade pode ocorrer no marketing de rede. E a verdadeira beleza de uma rede assim é que o programa de liderança não é apenas o fato de que ele desenvolve a liderança, mas o tipo particular de liderança que traz à tona.

O marketing de rede tende a desenvolver o tipo de líder que influencia outros a serem grandes professores, ensinando a realizarem os sonhos de sua vida.

Os militares desenvolvem um tipo de líder que inspira os homens e as mulheres a defenderem seu país. O mundo dos negócios desenvolve um tipo de líder que constrói equipes para vencer a competição. O marketing de rede tende a desenvolver o tipo de líder que influencia outros a serem grandes professores, ensinando a realizarem os sonhos de sua vida.

Em vez de vencer o inimigo ou derrotar a concorrência, a maioria dos líderes do marketing de rede inspira e ensina a encontrar a recompensa financeira que este mundo oferece, sem causar danos a outros.

A oportunidade de desenvolver a capacidade de liderar é um valor intrínseco exclusivo do marketing de rede. Claro, você poderia aprender sobre liderança em qualquer outro campo. Os militares, o governo, a vida corporativa, cada esfera da vida produz lideranças, mas não muitas. A verdadeira liderança é extremamente rara – exceto no marketing de rede.

John tem uma perspectiva interessante sobre por que isso acontece.

John: O que é peculiar no marketing de rede é que ele combina com uma ampla estrutura de remuneração a uma quantidade de pessoas composta por 100% dos voluntários.

Você não vai encontrar um único distribuidor de marketing de rede que bata ponto em relógio ou que tenha de aparecer para trabalhar. Como representantes independentes, ninguém é contratado ou despedido – todos estão ali voluntariamente. Ninguém pode dizer o que fazer, ninguém pode dar ordens.

Então, por que funciona? Qual é o motor que impulsiona essa máquina? A resposta vem em uma única palavra: liderança.

E a liderança que você desenvolve no seu negócio de marketing de rede aparecerá em todas as outras esferas de sua vida.

Os quatro elementos da liderança

As escolas tradicionais o treinam para ser um bom funcionário. Elas focam em uma coisa só: sua capacidade mental. Se você pode resolver equações e se sair bem nos testes, então é considerado inteligente o suficiente para gerir uma empresa.

Isso é ridículo.

A razão para eu ser um empresário bem-sucedido hoje é o treinamento que recebi dos Fuzileiros Navais. A escola militar prepara você para ser um grande líder, concentrando-se não apenas em sua mente, mas também em seu emocional, em suas habilidades físicas e espirituais. Eles ensinam como operar sob extrema pressão.

Tive inteligência para pilotar um helicóptero no Vietnã, mas nunca teria conseguido sobreviver sem o desenvolvimento de minha espiritualidade. Se isso não tivesse sido forte, então o medo (emoção) teria se estabelecido, e eu provavelmente teria congelado (físico) no controle do helicóptero armado. Ter estes quatro elementos – mental, emocional, físico e espiritual – trabalhando em harmonia me ajudou a completar minhas missões.

Isso também me deu o conhecimento e a compreensão necessários para ser um bom líder no mundo dos negócios, porque estes são exatamente os mesmos quatro elementos de liderança necessários para ser bem-sucedido no empreendedorismo – mente, espírito, corpo e emoções:

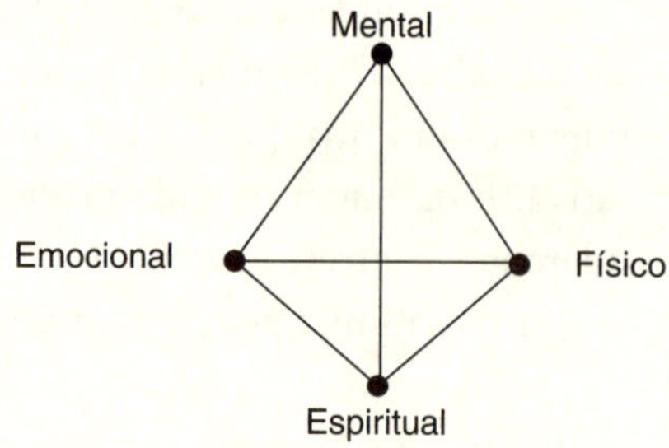

Se você não consegue controlar esses quatro aspectos de si mesmo, então irá falhar. E se não é capaz de ajudar seus empregados a desenvolver esses quatro elementos e, ao fazê-lo, ajudá-los a se tornarem líderes eficazes, então você irá falhar. É simples assim.

Aqui está outra coisa que as escolas militares ensinam: estar na linha de frente significa não se importar com o fato de você ser ou não apreciado. Claro, todos nós queremos ser amados, mas, para ser um grande líder, você tem de estabelecer limites, monitorar o comportamento do pessoal e tomar ações corretivas quando necessário. Às vezes, você vai advertir as pessoas. Sim, isso vai acontecer – não há um meio de contornar isso. Mas veja o que também vai acontecer: você criará o melhor time possível, um que entende o que você espera, e o que vai ou não tolerar.

Capítulo 15

Ativo 7: Um mecanismo para criação de riqueza verdadeira

Thomas Jefferson e John Adams, dois dos três criadores da declaração de independência dos Estados Unidos, foram grandes amigos ao longo da vida, embora a amizade não tenha sido sem rusgas – às vezes, inclusive, foram imensas as contrariedades. Eles tinham temperamentos opostos e, em certo ponto, se tornaram amargos arquirrivais políticos, opondo-se diametralmente em muitas questões. Durante anos, os presidentes americanos, segundo e terceiro, se recusaram a falar um com o outro. Mas, em seus últimos anos, se reconciliaram e a longa correspondência que trocaram entre si é um dos grandes tesouros da literatura americana.

Eles morreram no mesmo dia, 4 de julho de 1826, 50 anos após a assinatura da declaração de independência, que escreveram com a coautoria de Benjamin Franklin.

Há mais um fato curioso sobre estes dois homens: sua relação com a riqueza.

Jefferson foi o clássico aristocrata do estado da Virgínia, proprietário de terras, dono de um espólio de milhares de acres. Adams era um advogado de Massachusetts, vindo de família bastante pobre de agricultores e levou sua longa vida de maneira modesta. Ainda assim, no dia da morte de ambos, o legado positivo de Adams era de cerca de $100 mil, enquanto as propriedades de Jefferson eram devedoras da mesma quantia.

Riqueza não é a mesma coisa que dinheiro. A riqueza não é medida pelo tamanho da renda; a riqueza é medida em tempo.

Jefferson tinha dinheiro e bens, mas a fortuna se esvaiu pelos seus dedos. Adams nunca teve muito dinheiro, mas viveu de forma simples e tinha uma firme compreensão de como se construir riqueza.

Uma das razões centrais para eu escrever este livro é a certeza de que você compreenda a diferença crucial entre dinheiro e riqueza. Por que o típico ganhador de loteria quebra em três anos após ganhar seus milhões? Porque, quando ganharam o prêmio inesperado em *dinheiro*, eles não tinham o conceito de *riqueza*.

Riqueza não é o mesmo que dinheiro. A riqueza não é medida pelo tamanho da renda. A riqueza é medida em tempo. Se tudo o que tenho em meu nome é $1 mil na poupança e na conta-corrente combinadas, e minhas despesas diárias são de $100, então minha riqueza é igual a 10 dias. A riqueza é a capacidade de sobreviver certo número dias à frente. Pergunte a si mesmo: "Se eu parar de trabalhar hoje, quanto tempo poderei sobreviver financeiramente?" Sua resposta é igual à sua riqueza neste momento.

Na verdade, vamos aprofundar essa definição. A riqueza é medida pela *variedade de sua experiência de vida hoje mais o número de dias futuros* em que você terá a capacidade de continuar vivendo com esse nível de experiência.

Uma razão para que os ricos fiquem cada vez mais ricos é que eles trabalham por um tipo diferente de dinheiro. Eles não trabalham para gerar renda; trabalham para construir riqueza. Há uma vasta diferença entre as duas coisas.

Um dos valores mais profundos do marketing de rede – um que a maioria das pessoas que olham para esse tipo de negócio não entende muito bem – é que é um motor de criação de riqueza pessoal.

Meus quatro passos para a liberdade financeira

Kim e eu fomos capazes de nos aposentar bem cedo, sem emprego, sem a assistência do governo e sem qualquer negociação em ações ou fundos de investimentos. Por que nenhuma negociação de ações ou fundos? Porque acreditávamos que eram investimentos muito arriscados. Em minha opinião, os fundos são alguns dos mais arriscados de todos os investimentos.

Kim e eu usamos um plano de quatro passos simples para nos aposentarmos jovens e ricos. Isso levou nove anos, de 1985 a 1994, começando do nada e nos aposentando financeiramente livres, sem cotas individuais de ações ou fundos de investimentos. Veja como:

1) Construir um negócio
2) Reinvestir no negócio
3) Investir em imóveis
4) Deixar ativos comprarem luxos

Vejamos como funciona essa sequência.

1) Construir um negócio

A construção de um negócio permite gerar muito dinheiro. Além disso, as leis fiscais costumam ser muito mais favoráveis para as pessoas que ganham renda no quadrante D e punem as pessoas que ganham dinheiro no quadrante E.

Uma empresa é como uma criança: é preciso algum tempo para crescer. Ainda que possa levar menos tempo, embora certamente demore mais, fazer um negócio deslanchar normalmente leva cerca de cinco anos.

2) Reinvestir no negócio

A chave para esse processo é não tentar usar seu negócio como uma fonte de renda para viver. Um grande número de iniciantes no marketing de rede comete esse erro. Assim que veem alguma renda fluindo de seu novo negócio, usam essas novas receitas para expandir suas despesas: compram um segundo carro, uma casa maior, tiram férias luxuosas e assim por diante.

Por que as pessoas fazem isso? Não é por serem idiotas: já vi muitas pessoas inteligentes e bem informadas seguirem esse padrão. Elas fazem isso por uma razão – e uma razão apenas: ainda estão vivendo, respirando e pensando no quadrante E. Se você quiser construir riqueza, tem de tirar a cabeça do lado esquerdo desse diagrama e começar a pensar como um D e I.

Primeiro, mantenha seu trabalho normal. Seu objetivo não é substituir seu trabalho por seu negócio – isso é apenas tratar o negócio como um novo emprego. Você nunca vai construir riqueza dessa maneira. Em vez disso, quando seu novo negócio começar a fazer algum dinheiro, vá direto para o Passo 2: Reinvestir a nova renda na empresa, a fim de crescer ainda mais.

"Mas não quero manter meu emprego regular, odeio trabalhar lá! Não é essa a razão disso tudo? Quero parar de trabalhar como empregado!"

Muitas pessoas não conseguem atingir uma grande riqueza em qualquer negócio porque não conseguem reinvestir continuamente no negócio.

Bastante justo: você quer sair do quadrante E e desistir do seu emprego. Talvez odeie seu trabalho. Ou pode ser como um monte de profissionais que conheci que realmente amam o que fazem, mas não apreciam o fato de terem de fazer isso por 40, 50 ou 60 horas por semana. Quaisquer que sejam suas razões, eis a verdade nua e crua: se você sugar toda a renda de seu novo negócio para queimar em despesas mensais pessoais, então não está construindo um negócio; está apenas construindo outro emprego.

Um verdadeiro proprietário de empresa não para de investir e reinvestir para construir o negócio. Muitas pessoas não conseguem atingir grande riqueza em qualquer negócio porque não conseguem reinvestir continuamente no negócio.

Então, como é no marketing de rede?

John: Uma empresa tradicional pode reinvestir construindo um novo armazém, gastando dinheiro em publicidade nacional, desenvolvendo novas linhas de produtos ou comprando novos canais de distribuição. Mas no marketing de redes você não tem essas despesas: a empresa de marketing de rede em si faz esse tipo de investimento para você.

Como você *reinveste* em seu negócio, então? Certamente, há lugares em que você pode investir algum dinheiro sabiamente: em treinamento e educação consigo, em viagens para apoiar sua crescente rede em outras cidades, em ferramentas promocionais e educacionais e recursos para ajudar a nutrir o negócio.

Na maior parte do tempo, porém, o marketing de rede é um negócio cujo maior investimento de capital não é seu dinheiro, mas seu *tempo e esforço.*

O que significa que a maior parte de sua renda se torna disponível para você alimentar o processo sério de construção de sua riqueza. Mas repare: eu disse "construir sua riqueza", e não "desperdiçar sua riqueza"!

Não cometa o erro que tenho visto as pessoas cometerem: começar a gastar o dinheiro de sua nova comissão em um carro maior, uma casa maior, um estilo mais luxuoso de vida. Não abuse da renda de seu novo negócio.

Trate-a com o respeito que merece. Invista.

3) Investir em imóveis

À medida que a renda de seu negócio vai crescendo, você passa a usar essa renda suplementar para comprar imóveis.

Você notará que não há fundos de investimento, carteiras de ações, ativos de papel ou qualquer outra coisa nesse plano. Isso porque, apesar de serem os ativos mais fáceis de se construir (tudo que você precisa fazer é comprá-los), a negociação de ações e fundos é arriscada, os lucros obtidos são tributados na proporção do ganho de capital e, para investir, é necessário educar-se financeiramente para diminuir o risco. A ideia aqui é usar seu novo dinheiro complementar para construir ativos de geração de renda. Existem muitos tipos de ativos que podem gerar renda, mas o que recomendo, na maioria das vezes, é o ativo imobiliário, por duas razões principais.

Primeiro, as leis fiscais favorecem os proprietários de empresas que investem em imóveis. Segundo, os bancos gostam de emprestar dinheiro para o setor imobiliário. Experimente pedir a seu banco um empréstimo de 30 anos, às mesmas taxas de juros de 8%, 10% ou 12% ao ano dos empréstimos imobiliários, para comprar fundos ou ações. Eles rirão na sua cara.

Muitas vezes, as pessoas me perguntam: "Como posso comprar imóveis quando mal ganho dinheiro suficiente para pagar o aluguel?" Boa pergunta: bem, você não pode. Não até que tenha dinheiro extra. É por isso que esta etapa vem *depois* de construir um negócio e reinvestir em seu crescimento contínuo: assim, você terá o dinheiro extra.

Mas deixe-me explicar o que quero dizer com "investir em imóveis", porque muitas pessoas não compreendem completamente a razão de os imóveis funcionarem como ativos. A maioria das pessoas acha que o aspecto bom de se comprarem imóveis é vendê-los (seja rapidamente, depois de algumas melhorias precipitadas ou em algum momento no futuro) por um preço mais elevado. Errado. Isso é como comprar uma vaca e depois vendê-la como bife. O que você quer fazer é comprar uma vaca e mantê-la para sempre, a fim de vender seu leite.

O propósito da compra de imóveis é não vendê-los; o propósito de se comprar uma propriedade é a construção de um ativo de geração de renda.

Aprender a fazer isso leva tempo, estudo, experiência e dinheiro. Tal como acontece com o aprendizado de qualquer coisa nova, é difícil não cometer alguns erros – e erros em imóveis (especialmente na gestão da propriedade) podem ser muito caros. A menos que você tenha uma renda extra consistente e obtenha as vantagens fiscais que vêm com um negócio no quadrante D, os negócios com imóveis são vagarosos e muito arriscados.

A razão para muitas pessoas não enriquecerem com imóveis é que não têm o dinheiro necessário. A verdade é que as melhores ofertas de imóveis são geralmente caras. Se você não tem muito dinheiro, às vezes o único negócio com imóveis que você consegue é aquele que as pessoas com muito dinheiro já não quiseram mais. A razão para que tantas pessoas procurem investimentos com zero de entrada é porque elas não têm nenhum dinheiro para dar de entrada! A menos que você seja realmente experiente e tenha dinheiro em abundância na mão para usar quando precisar, colocar *nada* de entrada pode vir a ser o investimento mais caro de sua vida.

4) Deixar os ativos comprar luxos

Por muitos anos, mesmo muito tempo depois que podíamos nos proporcionar coisas melhores, Kim e eu continuamos a viver em uma pequena casa, com uma hipoteca mensal de cerca de $400, e continuamos dirigindo carros comuns. Enquanto isso, o dinheiro extra gerado era usado para construir nossos negócios e investir em imóveis.

Hoje, vivemos em uma casa grande e temos seis carros de luxo – mas não compramos a casa nem os carros. Nossos *ativos* os compraram; nós apenas os apreciamos.

Quando digo "luxo", não quero dizer necessariamente algo extravagante ou ostensivo. Refiro-me a algo que você quer e de que gosta, e que vai além daquilo de que você "precisa".

Vou dar um exemplo. Pense em alguém que você conhece que trabalha para viver, mas não ama esse trabalho. Se você lhe diz: "Ei, você não gosta de seu trabalho, então deveria sair dele!", o que ela responderia?

Eu adoraria, mas não posso me dar esse luxo.

Isso mesmo: para muitas pessoas, sair do trabalho é um dos primeiros luxos que querem. Como você consegue esse luxo? Da mesma maneira que qualquer outro: deixa seus negócios e/ou seu patrimônio imobiliário comprá-lo para você. Para que isso aconteça, você tem de construir esses ativos até o ponto em que eles possam *comprá-lo* para você.

Viu como funciona?

Você não usa a própria renda para comprar seus luxos: usa sua renda para construir seus ativos – seus negócios e investimentos imobiliários – e, em seguida, quando estão suficientemente desenvolvidos, deixa a compra de seus luxos por conta deles.

O que nos leva à questão dos sonhos.

Capítulo 16

Ativo 8: Os grandes sonhos e a capacidade de vivenciá-los

Uma das coisas mais valiosas sobre as empresas de marketing de rede é o fato de enfatizarem a importância de você perseguir seus sonhos. Repare: eu não disse "a importância de *ter* sonhos". Elas não querem apenas que você *tenha* sonhos; querem que você *vivencie* esses sonhos.

Além do mais, elas o encorajam a sonhar grande. Uma das coisas mais legais que me aconteceram quando comecei a me interessar por marketing de rede foi que me peguei tendo sonhos ainda maiores do que já tinha.

As empresas tradicionais muitas vezes não estão muito a fim de que você tenha grandes sonhos. Elas funcionam melhor se você tiver sonhos modestos: um período breve de férias de verão, um hobby que você goste, um bom jogo de futebol em um domingo à tarde. Esse tipo de coisa.

Não estou dizendo que há qualquer coisa de errado em ter sonhos modestos. Tudo que estou dizendo é que essa é uma vida modesta.

Crescendo, muitas vezes ouvi meus pais usarem a seguinte frase: "Não podemos nos dar esse luxo." Meu Pai Rico, no entanto, proibiu seu filho e a mim de dizer essas palavras; em vez disso, insistiu que nos perguntássemos: "Como posso pagar por isso?"

Embora a diferença entre essas declarações possa parecer pequena, é algo bem relevante. Essa pequena mudança na forma de pensar, multiplicada pelas experiências, percepções e decisões da vida, o levará para um lugar que se encontra a milhões de quilômetros de distância de onde você teria desembarcado sem essa mudança.

Quando você faz dessa pergunta um hábito: "*Como* posso pagar por isso?", treina a si mesmo para ter sonhos cada vez maiores, e não só para ter esses sonhos, mas também para acreditar que pode torná-los realidade. Por outro lado, dizer "não posso pagar por isso" faz seus sonhos desaparecerem como uma toalha molhada em uma chama de vela. Já existem muitas outras pessoas no mundo que tentam sufocar seus sonhos, sem que você esteja adicionando sua voz a essa mistura! Ah, eles não têm a intenção, talvez, mas, bem-intencionados ou não, suas palavras são mortais.

"Você não pode fazer isso."

"Isso é muito arriscado. Você tem ideia de quantos já falharam tentando fazer isso?"

"Não seja tolo. Aonde você quer chegar com essas ideias?"

"Se é uma ideia tão boa assim, por que, até agora, ninguém fez isso?"

"Ah, tentei isso anos atrás. Deixe-me contar por que não vai funcionar."

Essas são palavras "matadoras de sonhos" e notei algo interessante sobre as pessoas que as dizem: são, quase sempre, pessoas que já desistiram dos próprios sonhos.

O importante é esforçar-se, aprender e dar o melhor de si para desenvolver seu poder pessoal de ser capaz de ter uma mansão – e, claro, a pessoa que você se torna no processo.

Quando Kim e eu estávamos sem dinheiro, dissemos um ao outro que, quando tivéssemos conseguido mais $1 milhão, compraríamos uma mansão. Compramos e amamos estar em casa, mas a casa em si não foi importante para nós, nem mesmo ser capaz de pagar por ela. O importante foi o que *nos tornamos nesse processo*.

Esforçar-se, aprender e dar o melhor de si para desenvolver seu poder pessoal de pagar pela mansão – e o que você se torna no processo –, isso, sim, é o que importa.

"As pessoas que têm sonhos medíocres", o Pai Rico me disse, "continuam a ter vidas medíocres".

Todo mundo tem sonhos, mas nem todos sonham da mesma maneira. O Pai Rico me ensinou que existem cinco tipos de sonhadores:

- Aqueles que sonham com o passado.
- Aqueles que sonham pequeno.
- Aqueles que alcançam um sonho e, então, vivem entediados.
- Aqueles que sonham grande, mas, sem um plano sobre a forma de atingir seus sonhos, acabam sem nada.
- Aqueles que sonham grande, alcançam esses sonhos e passam a sonhar ainda mais alto!

Aqueles que sonham com o passado

Estas são as pessoas que acreditam que suas maiores conquistas já se foram. Elas vão deliciá-lo com histórias de seus dias de faculdade, seus dias de exército, seus dias de popularidade na escola, sua vida na fazenda onde cresceram, mas tente envolvê-las em uma conversa sobre o futuro, e elas apenas abanarão a cabeça e dirão: "Ah, o mundo está de pernas para o ar!"

Uma pessoa que sonha com o passado é alguém cuja vida acabou. Elas podem não estar mortas, mas não estão mais verdadeiramente vivas, e a única maneira de voltar para a vida é reacendendo um sonho.

Aqueles que sonham pequeno

Algumas pessoas se limitam a ter apenas sonhos pequenos, porque essa é forma de se sentirem confiantes de que poderão alcançá-los. O irônico é que, mesmo sabendo que podem realizar seus pequenos sonhos, nunca tentam. Por que não? Quem pode saber? Talvez porque saibam que, se alcançá-los, não teriam razão para viver – a menos que, em seguida, se desafiassem a sonhar mais alto.

Em outras palavras, elas preferem viver mediocremente a enfrentar os riscos e a emoção de viver com grandeza. Mais tarde, na vida, você vai ouvi-las dizer: "Sabe? Eu deveria ter feito isso anos atrás, mas nunca cheguei a fazê-lo."

Certa vez, perguntei a um homem: "Se você tivesse todo o dinheiro do mundo, para onde viajaria?"

Ele respondeu: "Eu voaria para a Califórnia, para visitar minha irmã. Não a vejo há 14 anos e adoraria revê-la, antes que seus filhos ficassem mais velhos. Essas seriam as férias de meus sonhos."

Na época, a viagem custava cerca de $500. Eu observei isso e perguntei por que ele ainda não havia feito a viagem. Ele me disse: "Ah, eu vou, estou muito ocupado no momento." Em outras palavras, essa era a "viagem dos sonhos", e ele preferia continuar sonhando a realmente acordar e viajar.

Pai Rico me disse que esses são frequentemente os sonhadores mais perigosos.

"Eles vivem como as tartarugas", disse ele, "escondidos, silenciosa e confortavelmente, nas próprias casas. Se você bater no casco e espreitar, eles podem estocar e mordê-lo".

A lição: deixe os sonhos de tartaruga adormecidos. A maioria não vai a lugar algum e é assim que deve ser.

Aqueles que alcançam um sonho e, então, se entediam

Certa vez, um amigo meu me disse: "Vinte anos atrás, eu sonhava em me tornar médico. Então, consegui. E gosto de ser médico, mas agora estou entediado com a vida. Alguma coisa está me faltando."

O tédio geralmente é um sinal de que é hora de ter um novo sonho. Pai Rico me disse: "Há muitas pessoas que trabalham em profissões com que sonhavam quando estavam no segundo grau. O problema é que eles já saíram da escola há anos. É tempo de empreender uma nova aventura."

Aqueles que sonham grande, mas sem um plano de realização, acabam sem nada

Acho que todos nós conhecemos alguém nesta categoria. Essas pessoas dizem: "Acabei de ter uma grande ideia. Deixe-me contar sobre meu novo plano." Ou "Dessa vez, tudo será diferente". Ou ainda: "Estou virando uma nova página." Ou "Vou trabalhar mais, pagar minhas contas e investir". Ou ainda: "Acabei de saber de uma nova empresa que está vindo para a cidade e está à procura de alguém com minhas qualificações. Esta poderia ser minha grande chance."

Pai Rico disse: "Pessoas assim frequentemente tentam conseguir muitas coisas, mas tentam por conta própria. Poucas pessoas realizam seus sonhos sozinhas. Essas pessoas deveriam continuar sonhando grande, fazendo um plano e, só então, encontrar uma equipe para ajudá-las a transformar seus sonhos em realidade."

Aqueles que sonham grande, alcançam os sonhos e sonham ainda mais alto!

Acho que a maioria de nós gostaria de ser esse tipo de pessoa. Sei que eu gostaria. Não é?

Pai Rico assim me disse: "As grandes pessoas têm grandes sonhos, enquanto as pessoas medíocres têm sonhos medíocres. Se você quiser mudar quem é, comece por mudar o tamanho de seu sonho."

Como você sabe, já fui duro – totalmente, absolutamente, vivendo no meu carro com minha noiva. Sei como é. Mas *estar duro* é uma condição temporária. Ser pobre é diferente. Ser pobre é um estado de espírito. Você pode estar quebrado e ainda ser rico em espírito, rico em ambição, rico em coragem, rico em determinação. Não custa nada sonhar grande, e não custa um centavo a mais sonhar grande. Não importa o quanto você esteja falido, a única maneira de se tornar pobre é desistir de seus sonhos.

A coisa notável sobre o estilo de vida do marketing de rede é que você não enquadra seus sonhos como algo que só atingirá após 40 anos, ou apenas em algumas semanas no calendário, ou somente nas tardes de domingo. Quando você começa a construir sua rede, começa a viver seus sonhos, ainda que pequenos a princípio, desde o primeiro dia.

É uma mudança de mentalidade, de "não posso" para "eu posso"; de estar à mercê das circunstancias para ter o comando de sua vida; de ser escravizado para ser livre.

Em sua conclusão para *Walden*, sua meditação para a vida autodeterminada, Thoreau escreveu:

> *Aprendi isto, ao menos, pela minha experiência: que, se alguém avançar com confiança na direção de seus sonhos, e se esforçar para ter a vida que imaginou, vai se encontrar com um sucesso inesperado em algum momento do cotidiano.*

Eu mesmo não poderia ter dito melhor.

Capítulo 17

Um negócio em que as mulheres se destacam

(por Kim Kiyosaki)

Até agora, eu me referi à minha esposa, Kim, algumas vezes. Você já leu sobre como nos conhecemos e como eu a perseguia, sobre como foram nossas primeiras dificuldades, sobre nossas metas e estratégias, e como é, hoje, nossa vida. Antes de fechar esta parte do livro, achei que era uma boa hora de ouvir Kim diretamente.

R.K.

Robert falou muito sobre marketing de rede e as muitas maneiras como é possível criar valor para você. Quero falar sobre mais um: é um poderoso negócio para as mulheres.

Quando você olha as estatísticas do perfil básico da comunidade do marketing de rede, uma das primeiras coisas que nota é também a mais interessante: *a comunidade é povoada por mulheres, quatro vezes superior ao número de homens.*

Isso mesmo, você leu certo. Segundo a Direct Selling Association (Associação de Vendas Diretas), dos 15 milhões de pessoas nos Estados Unidos que estão no marketing de rede, cerca de 88% são do sexo feminino. E, ainda que eles não forneçam uma desagregação por sexo para a população de mais de 62 milhões de pessoas em todo o mundo, as proporções em escala global são, provavelmente, parecidas com as dos Estados Unidos.

O trabalho de apoio, *coaching* e manutenção de relacionamentos de um patrocinador de rede de marketing para com seus aprendizes da comunidade é o tipo de relacionamento e interação em que as mulheres se destacam.

Por quê? Uma das razões é que, historicamente, muitas famílias começaram seus negócios de marketing de rede como empreendimentos de meio período e para as famílias em que o homem é o principal provedor, muitas vezes isso significava que a mulher é que se envolvia em tempo parcial, trabalhando em casa.

Um fator paralelo é o fato de que é um negócio com base nos domicílios (*home-based*), o que significa que a construção de um negócio de marketing de rede é uma forma peculiarmente compatível com as exigências de criação de uma família.

Mas acho que vai além dessas circunstâncias práticas e históricas.

O marketing de rede é, em sua essência, um negócio de *relacionamento*. Como Robert explicou, não é um negócio que gira em torno de *vendas*; é um negócio que gira em torno de fazer *conexões*. Trata-se de estabelecer relações, *coaching* e treinamento, além de ensino e monitoramento. O trabalho diário de construção de uma rede é muito mais construir uma comunidade do que conquistar um território de vendas.

O trabalho de apoio, *coaching* e manutenção de relacionamentos de um patrocinador de rede de marketing para com seus aprendizes da comunidade é o tipo de relacionamento e interação em que as mulheres se destacam.

Claro, nada disso significa que os homens também não possam ser bem-sucedidos no marketing de rede. Há milhões de homens provando isso a cada instante. Mas a verdade é: trata-se de um modelo de negócio em que as mulheres se destacam.

O que as mulheres precisam

E isso é muito bom também porque as mulheres de hoje realmente precisam aprender a construir a própria riqueza.

Uma jovem jornalista se aproximou de mim há alguns anos e disse, com evidente paixão: "Precisamos tornar as mulheres conscientes de que têm de cuidar de seu dinheiro. Elas não podem depender de alguém para fazer isso por elas!"

Enquanto conversávamos sobre a razão de sua paixão pelo assunto, descobri que sua mãe de 54 anos recentemente se mudara para a casa dela, depois de passar por um divórcio que a deixara basicamente sem nada. Ela estava agora sustentando a si e sua mãe.

Isso foi mais do que um alerta, mas o que realmente a abalou foi quando ela deu uma olhada mais atenta em suas finanças para ver o que tinha de recursos para apoiar as duas. Percebeu que, se parasse de repente, por qualquer motivo, de receber seu salário, a única coisa que tinha era uma poupança de cerca de $7 mil.

Para um domicílio de duas pessoas, $7 mil não vão muito longe. Ela e sua mãe estavam a pouquíssimos salários da pobreza e até mesmo da falta de moradia. Não é à toa que ela era apaixonada pelo assunto das mulheres e por controle de finanças!

Felizmente para mim, não estou na posição dessa jovem. Robert e eu estamos financeiramente preparados para o resto da vida, independentemente do que aconteça com a economia.

Mas, mesmo que eu não tenha essa espada pendendo sobre minha cabeça, sou tão apaixonada pelo assunto de mulheres criando a própria independência financeira quanto a jornalista.

O "como fazer" do marketing de rede não é diferente para as mulheres e os homens. No entanto, as razões principais *por que* as mulheres constroem suas empresas de marketing de rede são frequentemente muito diferentes daquelas de seus colegas do sexo masculino.

Sabemos que temos uma vida muito diferente de nossas mães, mas você pode ser surpreendida com o quanto é diferente. Aqui estão seis razões pelas quais as mulheres precisam entrar neste jogo chamado de construção de riqueza.

1. As estatísticas

As estatísticas sobre mulheres e dinheiro são surpreendentes. As estatísticas seguintes são para os Estados Unidos, mas, para outros países em todo o mundo, elas são muito semelhantes ou tendem para a mesma direção.

- 47% das mulheres com idade acima de 50 anos são sozinhas; em outras palavras, são financeiramente responsáveis por si.

- O rendimento das mulheres na aposentadoria é menor do que o dos homens, porque, como principal cuidadora da casa, uma mulher fica fora da força de trabalho uma média de 14,7 anos, em comparação com 1,6 ano para os homens. Adicione a isso o fato de que as mulheres ainda recebem salários menores do que os homens, e têm benefícios de aposentadoria que representam apenas cerca de um quarto do que eles recebem. (Pesquisa do NCWRR National Center for Women and Retirement – Centro Nacional para Mulheres e Aposentadoria).
- A expectativa de vida das mulheres é, em média, de sete a 10 anos superior à dos homens, o que significa que elas precisam de mais dinheiro para esses anos extras.
- Dos idosos que vivem na pobreza, três em cada quatro são mulheres (Morningstar Investor Fund).
- Aproximadamente 7 em cada 10 mulheres em algum momento viverão na pobreza.

O que essas estatísticas nos dizem? Que cada vez mais mulheres não são educadas ou não estão preparadas para cuidar de si financeiramente, em especial quando envelhecem. Passamos a vida inteira cuidando de nossas famílias, mas não temos a capacidade de cuidar de nós mesmas nesse aspecto vital.

2. Evitar a dependência

Você não entra em um casamento à espera de um divórcio. Você não começa um novo emprego à espera de uma demissão. Mas isso acontece – e hoje com frequência cada vez maior.

Mulheres, se vocês estiverem dependendo de um marido, um chefe ou qualquer outra pessoa para garantir seu futuro financeiro, pensem duas vezes. Eles podem não estar lá no futuro. Com frequência, não conseguimos nem mesmo perceber o quão dependentes somos até que deparamos com nossa própria realidade.

3. Sem teto de vidro

Juntamente com todos os desafios que os funcionários da empresa, neste mundo pós-crise de 2008, as mulheres ainda enfrentam um obstáculo adicional enorme: o infame "teto de vidro". Sim, é verdade, até hoje: por causa do nosso gênero, as mulheres só conseguem subir a escada corporativa até certo ponto. E as mulheres com 50 anos ou mais, que tentam reingressar no mundo do emprego nas empresas? Nem queira saber.

No mundo do marketing de rede, a própria ideia de um teto de vidro para as mulheres é ridícula. Sua empresa de marketing de rede não se importa se você é do sexo feminino ou masculino, preto ou branco, graduado em faculdade ou desistente do ensino médio. Ela só se preocupa em saber se você é diligente e eficaz na construção de sua rede e, como apontei, há quatro vezes mais mulheres do que homens fazendo exatamente isso.

A chave é habilidade, educação e experiência. Para as mulheres, não há limites, telhados de vidro ou qualquer outra coisa no mundo do marketing de rede.

4. Sem limites sobre a renda

Porque o teto de vidro e a desigualdade salarial continuam presentes entre os homens e as mulheres no mercado de trabalho, isso limita a renda que a mulher pode gerar. Estudos apontam que mulheres com a mesma educação e experiência que seus pares masculinos ganham um terço.

Mas um negócio de marketing de rede é totalmente *escalável*. Independentemente do sexo, no marketing de rede a quantidade de fluxo de renda que você pode gerar, construindo sua rede, é ilimitada.

5. Aumento da autoestima

Pessoalmente, acho que este é um dos maiores benefícios e recompensas do marketing de rede e uma das mais fortes razões para que as mulheres se envolvam nesse negócio. Não é incomum para uma mulher que a autoestima esteja ligada à sua capacidade de prover a si mesma. Ser dependente financeiramente de alguém pode levar à redução da autoestima. Você pode fazer coisas que, de outra forma, não faria se o dinheiro não fosse um problema.

Já vi a autoestima das mulheres disparar quando aprendem a cuidar de si próprias financeiramente. E quando a autoestima de uma mulher se eleva, as relações ao seu redor tendem a melhorar. Maior autoestima leva a um sucesso maior, que, por sua vez, acaba por conduzir à maior recompensa de todas – a liberdade.

6. O controle de seu tempo

Um dos maiores empecilhos que as mulheres têm em relação aos homens, quando se trata de dedicar energia à construção de riqueza genuína, é, frequentemente, a simples questão de *tempo*. Isso é especialmente verdadeiro para as mães que passam muitas horas cuidando de crianças. Ouço de muitas mulheres: "Depois que venho para casa do trabalho, tenho de preparar o jantar, ajudar meus filhos com a lição de casa e limpar os pratos. Depois que coloco todos na cama e tenho um momento livre para mim, estou exausta!"

Como participante do marketing de rede, você controla seu tempo. É algo que você pode fazer em tempo parcial ou integral, em sua casa, ao telefone e ao computador, à noite, nos fins de semana, a qualquer hora, em qualquer lugar. É um negócio que vai com você aonde você for, que você mantém no bolso, no qual pode trabalhar apenas meia hora do dia, se é isso que seu horário e as circunstâncias permitem.

Construir riqueza é uma necessidade

Estas seis razões são suficientemente fortes para as mulheres precisarem aprender a construir a própria riqueza. As estatísticas provam o quanto o tempo mudou para as mulheres e salientam que a educação financeira da vida real não é mais um luxo; é uma necessidade. Depender de alguém para seu futuro financeiro é como lançar dados. Pode haver recompensa lá no final, mas o risco é imenso.

Tetos de vidro e limites de renda são duas das coisas que muitas mulheres têm combatido há muito tempo. Ambas desapareceram no mundo do marketing da rede. E, então, duas das maiores dádivas possíveis – maior sensação de autoestima e tempo para gastar exatamente como você quer – podem ser suas.

No entanto, apesar das razões que acabei de listar, não tenho como saber o que mais toca você. Você não é uma "mulher qualquer" – você é você. E só você pode determinar o motivo mais atraente para construir seu negócio de marketing de rede.

Crie sua riqueza e... divirta-se fazendo isso

Independentemente de qual razão seja atraente, você tem de lembrar mais uma coisa quando começar um negócio de marketing de rede: *divertir-se*.

Sim, é ótimo pensar que você pode ganhar um dinheiro extra de $100, $1 mil ou até mesmo $10 mil por mês, e que pode evitar a dependência e ter controle de seu tempo, mas, se você não está se divertindo, rapidamente cai na mesma rotina que muitos encontram no mundo corporativo. Simplificando, você tem de ser apaixonado pelo que faz; a falta dessa paixão se refletirá em sua conta bancária.

É por isso que acho que um *plano-negocial-de-festas* (*party-plan*) – um tipo de negócio de marketing de rede que gira em torno de festas em casa – é ideal para as mulheres que querem iniciar o próprio negócio. Esse tipo de plano de negócios é a oportunidade perfeita para passar tempo com a família e os amigos no conforto da própria casa, mesmo quando você está criando uma rede social que lhe permitirá criar riqueza – e faz isso se divertindo.

Um fato interessante sobre o setor de planejamento de festas é que, mesmo em épocas econômicas turbulentas, o desempenho continua bom. Na verdade, essa é uma razão para que indústria do marketing de rede, como um todo, seja uma força a ser reconhecida. Empresas como a Vorwerk (JAFRA Cosméticos), Mary Kay, Tupperware, Scentsy, Parrylite, Stampin'Up, Jews da Park Lane e outras estão entre as 64 empresas de venda direta com faturamento anual global de venda de $100 milhões ou mais.

De acordo com um relatório de setembro de 2009 do Direct Selling News, a empresa Tastefully Simple, um empresa *party-plan*, que oferece alimentos especiais, viu suas vendas subirem 5% em 2008, apesar da recessão. Outra delas, a Pampered Chef (que foi comprada pelo bilionário Warren Buffett, em 2002), teve aumento de 5% no recrutamento durante esse mesmo período.

Qual é a mensagem aqui? As empresas *party-plan* representam risco baixo e alta oportunidade financeira para qualquer mulher que esteja querendo tomar conta de seu futuro financeiro. Recomendo isso para as mães que são donas de casa e estão querendo se juntar às fileiras de novos empresários, para mulheres que trabalham ou que estão querendo complementar seus salários, para alunas de faculdade que desejam ganhar alguns trocados extras – e para qualquer mulher que queira se dar a oportunidade de criar riqueza... e se divertir fazendo isso.

O que é importante saber

Em nosso primeiro encontro, Robert me perguntou o que eu queria fazer com minha vida. Eu disse a ele que queria ter meu próprio negócio um dia. Ele disse: "Posso ajudá-la com isso." Em um mês, tínhamos um negócio juntos.

Mas ele também começou a falar comigo sobre coisas maiores – sobre espiritualidade, sobre meu propósito de vida. Isso foi na década de 1980, quando as pessoas estavam se matando de trabalhar e ficavam orgulhosas com isso. Lá pelos anos 1990, as pessoas começaram a olhar mais atentamente para sua vida e a se fazer algumas perguntas difíceis. Mas foi realmente depois do *11 de Setembro* que as pessoas começaram a se questionar: "Opa, espere um minuto. Por que estou correndo como um *hamster* em uma roda? O que estou fazendo com minha vida? Onde isso tudo vai parar?"

Ouço as mulheres o tempo todo dizendo que estão ocupadas demais para se envolver em um negócio de meio período baseado em casa. Digo a elas:

"Aqui está a chave para seu negócio ser bem-sucedido: você tem de olhar para sua vida, realmente olhar para ela, e se perguntar 'O que é tão significativo para mim que preciso *ter* na minha vida?'"

O que é suficientemente importante a ponto de você arrumar tempo e dedicar esforço para a construção de um negócio que gere sua própria renda e, então, poder usar essa renda para construir a riqueza que vai cuidar de você pelo resto da vida? Porque, se você não identificar o que é isso, não vai acontecer.

A liberdade é diferente para cada um de nós; o sucesso também é diferente. Isso é pessoal, e é assim que *deve* ser. Os números são abstratos; se são cinco mil ou um milhão, isso realmente não significa nada até que você dê a eles o significado que têm em sua própria vida.

No início de nosso casamento, Robert e eu estávamos absolutamente comprometidos com o objetivo de termos o próprio negócio, de não termos outras pessoas nos dizendo o que fazer e de controlarmos o próprio destino financeiro. Isso foi tão importante para nós que estávamos dispostos a suportar qualquer dificuldade para que acontecesse.

E levou anos realmente – cerca de 10.

Às vezes, o estresse de não ter nenhuma renda era enorme. Tivemos todo tipo de amigos nos dizendo que éramos loucos, que deveríamos conseguir empregos regulares com salários regulares, mas isso era o que não queríamos fazer absolutamente.

Finalmente, decidimos que tínhamos de agir. Robert começou a ensinar. Fui até uma amiga que tinha uma linha de roupas e lhe pedi que me deixasse vender seus produtos. Procurei salões de beleza e montei pequenas miniboutiques. Não havia salários, apenas comissões de vendas e, na verdade, eu realmente fiz muito pouco em comissões. Mas agi para as coisas acontecerem.

Aprendi que esta é a essência em ser um empreendedor: *Você tem de agir e fazer as coisas acontecerem.* E a única maneira de fazer isso é saber o que é de fato importante para você, e então percebe que a única maneira de obter isso é você mesma criar.

Parte III

Seu futuro começa agora

O que é preciso para iniciar um negócio de marketing de rede bem-sucedido

Capítulo 18

Escolha com sabedoria

Então, você decidiu começar o próprio negócio do marketing da rede. Parabéns! Agora enfrenta uma escolha. Há vários milhares de empresas de marketing de rede em operação. De qual delas você vai participar? E como escolher?

Recém-chegados ao marketing de rede muitas vezes seguem um padrão para essa escolha: se inscrevem com a primeira oportunidade que aparece. Agora, pode muito bem ser que a primeira empresa sobre a qual ouve falar seja uma boa empresa, e uma escolha sábia para você. Mas deve ser uma escolha baseada em informação e pesquisa cuidadosamente feita. É do seu futuro que estamos falando.

Então, como escolher? Em quais critérios você baseia a sua decisão?

"Nossa empresa tem um plano de remuneração – você pode fazer muito dinheiro aqui!" Quando eu estava investigando empresas diferentes de marketing de rede, com frequência ouvia esse comentário. O povo ansioso por me mostrar sua oportunidade de negócio contava histórias de pessoas que ganhavam centenas de milhares de dólares por mês em seus negócios. Dado que conheci pessoas que realmente fazem centenas de milhares de dólares por mês a partir de seu negócio de marketing de rede, não tenho dúvidas do potencial maciço de ganho.

Ainda assim, não recomendo escolher uma empresa de marketing de rede principalmente pelo dinheiro.

"Nós temos os melhores produtos, de qualidade *premium* – produtos que têm mudado a vida de muitas pessoas!"

Ouvi muito isso também. Benefícios do produto provavelmente foram a segunda razão que me deram para que eu decidisse por aquela empresa, depois do dinheiro. E, novamente, não duvido. Ainda que tenha ouvido muito exagero e propagandas enganosas, também encontrei produtos verdadeiramente bons, alguns dos quais ainda consumo ou uso hoje. Na verdade, produtos de qualidade excepcionalmente alta tendem a ser típicos do marketing de rede.

No entanto, o benefício dos produtos também não é o mais importante. Permitam-me repetir:

> *Ao escolher uma empresa para trabalhar, o produto* ***não*** *é a consideração mais importante.*

Sublinho isso porque a maioria das pessoas assume que o produto é a coisa mais importante. Não é. Lembre-se: você não tem um emprego de vendedor; está abrindo um negócio para si mesmo e esse negócio é *marketing de redes*. E, quando você começa a examinar as diferentes empresas, a questão mais importante em sua mente precisa ser: "É esta a empresa que vai me ajudar a aprender como me tornar um mestre em construção de redes?"

> *O primeiro motivo para eu recomendar o marketing de rede é por causa de seu sistema de educação empresarial do mundo real e desenvolvimento pessoal.*

Um sistema de marketing de rede é criado para tornar possível a qualquer pessoa compartilhar riqueza. É aberto a qualquer pessoa que tenha fibra, determinação e perseverança. Não importa seu nome de família ou qual faculdade você frequentou (nem mesmo se frequentou), quanto dinheiro você faz hoje, sua raça ou sexo, quão bonito você é, quão popular ou até mesmo quão inteligente.

A maioria das empresas de marketing de rede presta atenção principalmente no quanto você está disposto a aprender, mudar e crescer, e se você tem coragem para resistir às intempéries, enquanto aprende a ser um empresário.

Isso é verdade para toda empresa de marketing de rede? Não. Como em qualquer outra coisa, há o bom, o mau e o feio – e há também o verdadeiramente fantástico.

Nem todas as empresas de marketing de rede apoiam verdadeiramente a educação. Há algumas que se preocupam apenas com a atividade de venda em si: querem você apenas como vendedor e realmente não se importam em ensinar qualquer coisa. Só querem que você traga seus amigos e familiares para o rebanho. Se você topar com uma dessas empresas, eu ficaria desconfiado de me envolver: elas não vão contribuir para seu crescimento e provavelmente não existirão por muito tempo.

Mas as melhores empresas são totalmente dedicadas a seu negócio de educar. Elas estão comprometidas com o longo prazo e colocam prioridade no desenvolvimento de suas habilidades. Quando você encontra uma empresa como essa, com os líderes que estão dispostos a treiná-lo e ajudá-lo a se tornar o empresário que você pode ser, é uma empresa boa à qual se associar.

O plano de remuneração é importante? Com certeza. E a qualidade da linha de produtos é crítica? É claro. Mas, muito além dessas coisas, o que realmente observo é o quão dedicada a empresa está para desenvolver você para pertencer verdadeiramente ao quadrante D – um empresário que constrói riqueza genuína. Esta é a coisa mais importante da empresa de marketing de rede com a qual você vai se afiliar: ser realmente sua escola de negócios.

Se você gostar do que ouviu já a partir da apresentação inicial, invista algum tempo para realmente conhecer as pessoas que fazem o treinamento e formação.

Invista algum tempo para realmente perscrutar no coração da empresa aquilo que vai além da remuneração e dos produtos: ela está realmente interessada em treinar e educar você? Isso toma mais tempo do que apenas um discurso de vendas de 30 minutos, um clique em um site colorido ou conversas sobre o quanto as pessoas estão fazendo de dinheiro. Descobrir se o treinamento de uma empresa é realmente bom exige que você saia do seu sofá e analise o treinamento, os seminários educacionais e os eventos.

Se você gosta do que ouve a partir da apresentação inicial, use algum tempo para realmente conhecer as pessoas responsáveis pelo treinamento e a formação.

E analise cuidadosamente, porque muitas empresas de marketing de rede declaram ter grandes planos de treinamento, mas isso não acontece com todas. Em algumas empresas que olhei, o único treinamento que elas tinham era uma lista de livros recomendados e, então, elas se concentravam em treinar você a recrutar seus amigos e familiares para o negócio.

Portanto, invista seu tempo e analise atentamente, porque há muito poucas empresas de marketing de rede que têm excelentes planos de educação e formação – na verdade, alguns dos melhores treinamentos de negócios da vida real que já vi.

Aqui estão algumas perguntas a serem feitas sobre uma empresa de marketing de rede.

- Quem comanda o barco?
- A empresa oferece um plano de ação comprovado?
- A empresa se preocupa tanto com as habilidades de negócios quanto com o desenvolvimento pessoal como parte regular de seus programas educativos e de formação?
- A empresa tem uma linha de produtos de alta qualidade e altamente comercializáveis pelos quais você pode se apaixonar?

Quem comanda o barco?

Pessoas inexperientes, que se aproximam de um novo negócio com uma perspectiva de quadrante E ou A, muitas vezes olham para os produtos, os planos de pagamento ou de promoção para julgar a força da empresa. Pulo tudo isso e olho diretamente para os *diretores* – as pessoas no comando.

Não é que o plano de pagamento e o produto e tudo o mais não sejam importantes. Mas nenhuma empresa é perfeita. Problemas sempre acontecem. Se você tiver as pessoas certas comandando o navio, então elas vão poder consertar qualquer coisa que der errado. Na verdade, se você tiver pessoas de fibra administrando a empresa, não há problema que elas *não possam* resolver. Mas se as pessoas erradas estiverem no comando, quando os problemas aparecerem, não há absolutamente nada que você possa fazer.

Você não pode julgar um livro pela capa; olhe os vídeos promocionais e sites. Observe os diretores. Quais são suas origens, sua experiência, seus antecedentes, seus caracteres? Conheça-os ou não pessoalmente, venha ou não a trabalhar com eles diretamente, *eles* são os sócios com os quais você está fazendo negócios.

John: Uma coisa que eu gostaria de abordar aqui é o mito que promotores ávidos às vezes espalham de que: para fazer "muito dinheiro", você tem de "começar pelo piso térreo". Isso não é verdade.

Robert: Não só não é verdade, como também é perfeitamente estúpido! A maioria dos novos negócios falha em seu primeiro ou segundo ano, e isso inclui as empresas de marketing de rede. Por que você quer arriscar seu trabalho duro, tempo e energia, investindo tudo em uma empresa que ainda não tem histórico?

John: Há muitas empresas de marketing de rede excelentes, fortes e viáveis com três anos de existência e há aquelas que têm 30 anos. É verdade que há algo emocionante e revigorante sobre fazer parte de algo que ainda está em seu começo. Mas há também uma grande quantidade de poder e credibilidade que vem com a afiliação a uma empresa que existe há décadas.

Eu exercitaria a devida cautela sobre comprometer-me com uma empresa que mal abriu as portas. No entanto, mesmo aqui, há exceções, você pode encontrar uma nova empresa que está apenas começando, mas, ainda assim, tem fortes credenciais corporativas que merecem séria consideração.

O ponto aqui é fazer a lição de casa (*due diligence*): descubra o que você está procurando e com quem está se envolvendo.

Não se deixe enganar por pessoas que afirmam que o truque para enriquecer é afiliar-se a uma nova empresa, ou uma empresa com 5 anos ou 35 anos de existência. Não há nenhum "truque". Não há fórmula mágica. O que você quer é uma empresa que saiba o que está fazendo e lhe dê sinais claros de que estará lá no longo prazo.

A empresa oferece um plano comprovado de ação?

John: As oportunidades de marketing de rede mais lucrativas e viáveis não querem reinventar a roda. Em vez disso, elas oferecem planos de ação para ajudar a criar o sucesso que você busca. Por exemplo, oferecem um guia de treinamento com sugestões de atividades diárias ou semanais.

Algumas empresas vão oferecer aos proprietários do negócio um site personalizado que ajude interessados e mostre os produtos e as oportunidades. Ferramentas de apresentação, profissionais e produtos de primeira, como CDs, DVDs, *podcasts* e materiais de impressão têm se tornado um padrão para o participante do marketing de rede.

A empresa se preocupa tanto com as habilidades de negócios quanto com as de desenvolvimento pessoal como parte regular de seu programa de ensino e treinamento?

Deixei bem clara minha crença de que a formação e a educação que você recebe representam o principal valor de sua experiência com marketing de rede, ainda mais importante do que o fluxo de renda que você está construindo. Então, certifique-se de que isso esteja presente.

Esteja certo de que sua empresa dá grande valor a treinamento constante, tanto em habilidades de negócios quanto no desenvolvimento do caráter e do crescimento pessoal. Há décadas, os líderes nessa indústria sabem que recompensa proporcionar a seu pessoal, em regime constante, bom material inspiracional e educacional. Nos velhos tempos, eram livros e fitas de áudio. No século XXI, são CDs, DVDs, *podcasts*, teleconferências ao vivo e *webseminars* e, sim, livros. Livros nunca saem de moda!

John: E eventos ao vivo também. Mesmo na era da internet, existe algo poderoso sobre estar fisicamente presente em um evento ao vivo, algo que nenhum outro meio pode substituir totalmente.

Nos dias de hoje, os negócios do dia a dia da construção de uma rede são tipicamente conduzidos por telefone e pela internet, tanto quanto o face a face. Mas você ainda vai descobrir que as melhores empresas colocam foco intenso em seus eventos anuais, semestrais, trimestrais e/ou mensais. Por quê? Pelo seu valor educacional, de treinamento e desenvolvimento pessoal.

E, a propósito, não é apenas a empresa de marketing de rede que está envolvida em sua formação e educação. Você tem toda uma hierarquia de pessoas – desde aquela que o afiliou diretamente ao negócio (muitas vezes chamado de seu "patrocinador") até aquelas que estão no topo da hierarquia da empresa. Todas elas têm um interesse genuíno em ver você crescer, aprender e ter sucesso.

Uma das belezas do sistema de marketing de rede é que ele é configurado para ser exatamente o oposto do ambiente competitivo corporativo, no qual até mesmo seu melhor amigo pode passar a perna em você para chegar ao próximo degrau da escada.

No marketing da rede, esse tipo de competição acirrada não acontece, porque o sucesso do seu patrocinador, e daqueles acima de vocês, depende do seu sucesso. Pessoas que lucram com seu crescimento querem que você cresça!

A empresa tem uma linha de produtos de alta qualidade e altamente comercializáveis pelos quais você pode se apaixonar?

Mesmo que não seja a consideração mais importante, a oferta de produtos da empresa é crucial. Por quê? Por causa de uma coisa: o boca a boca.

Empresas de marketing de rede, normalmente, não fazem um monte de publicidade nos meios de comunicação de massa. Você não vê frequentemente *outdoors* ou anúncios de televisão para esses produtos. Por que não? Porque elas utilizam um modelo promocional completamente diferente. Em vez de colocar seu orçamento de publicidade em mídias de massa caras, eles aplicam esse dinheiro em pessoas como você.

> **John:** A força vital de uma rede em crescimento é o boca a boca – indivíduos falando a outros indivíduos sobre seu produto ou serviço e a oportunidade que eles tiveram de fazer parte disso tudo.
>
> Por causa disso, os produtos e serviços que normalmente vendem bem no modelo de marketing de rede são aqueles com os quais as pessoas estão animadas, aqueles que significam uma grande história para elas, que têm um ingrediente interessante ou uma história original, aqueles que proporcionam benefícios especialmente poderosos ao usuário ou aqueles que são o primeiro de sua espécie – produtos ou serviços que contam uma história única.

Em suma: o boca a boca.

Agora, não me interprete mal: não estou falando de propaganda enganosa. Estou falando de qualidades e atributos genuínos. Seu produto tem de ser o negócio real.

Dito isso, é importante lembrar que não existe um produto "melhor". Há espaço para milhares de melhores produtos e serviços. Em certa medida, a escolha de um grande produto é uma coisa muito subjetiva. Algumas pessoas têm forte afinidade com produtos de beleza, ou nutrição, ou tecnologia.

Há um forte mercado para o produto? É algo que irá agradar a um vasto número de pessoas? O preço é competitivo?

Você acredita no valor do produto e vai usá-lo pessoalmente? Será que tem uma grande história para contar? Quando você está realmente apaixonado pelo produto que está compartilhando com outras pessoas, elas estarão mais propensas a se animar com isso também.

Capítulo 19

O que é preciso

Então o que é preciso para construir o próprio negócio bem-sucedido de marketing de rede? Primeiro, vamos olhar para o que *não* é preciso.

Você não precisa de um MBA nem de um forte background negocial

Lembre-se da palavra *duplicável*. As estratégias que funcionam melhor em rede são aquelas que *duplicam* melhor. O marketing de rede faz por um modelo de negócio do quadrante D o que Henry Ford fez pela indústria automobilística: reduz o processo para componentes que podem ser produzidos em massa.

John: Uma empresa de sucesso de marketing de rede não é uma obra-prima artesanal feita por um par de mãos hábeis. É uma sinfonia de simplicidade trabalhada por centenas de milhares de mãos.

Você não tem de ser "um grande vendedor"

Mais uma vez, um dos maiores equívocos que as pessoas que não estão realmente em marketing de rede têm sobre o negócio é que você precisa ser um "vendedor nato" para ter sucesso aqui.

Nada poderia estar mais longe da verdade. De fato, acreditar nisso pode prejudicá-lo no marketing de rede. Por quê? Porque os tipos "grandes vendedores" não podem se duplicar.

John: Lembre-se: isso não é essencialmente um negócio de vendas, mas um ensinamento, uma construção de equipes, um negócio de liderança. Seu trabalho não é vender um lote de produtos nem ensinar um monte de gente a vendê-lo. É liderar, treinar e construir pessoas. É, antes de tudo, construir uma rede.

Robert: *Vender* não é o ponto; *construção de rede* é o ponto.

John: Exatamente.

Você não precisa sair do seu trabalho!

Na verdade, é preferível não sair do seu trabalho quando você está começando. Construir seu próprio negócio não é como começar um trabalho novo, onde você começa a ganhar um salário no momento em que aparece para trabalhar. Vai levar algum tempo para construir sua rede. Dê-lhe tempo.

John: E não é só por razões financeiras. Mesmo que você pudesse se dar ao luxo de sair do seu trabalho, muitos novatos em marketing de rede descobrem que, uma vez que começam seus negócios, continuar conectados a seus colegas de trabalho serve como fonte de potenciais parceiros ou para dar referência a possíveis parceiros.

A maioria dos praticantes de marketing de rede constrói seus negócios em tempo parcial. A pesquisa de 2008 da Força Nacional de Vendas realizada pela Direct Selling Association mostrou que apenas cerca de um em cada oito participantes de rede trabalha 20 horas ou mais por semana em seus negócios.

Você não precisa ser rico nem fazer empréstimos

A maioria das empresas de marketing de rede exige menos de $500 do próprio bolso para os custos iniciais. Mas não se enganem a esse respeito: o que você economiza em dinheiro compensa em suor e paixão. O maior investimento em grande parte dos negócios próprios é o investimento *de si mesmo*, na forma de tempo, persistência e foco. Mas você não precisa de uma pilha de dinheiro para começar.

John: Ainda assim, só porque o investimento de capital é baixo, não significa que seja nulo. Esse é um negócio, e você precisa administrá-lo como um negócio. O que significa que terá custos operacionais mensais.

Normalmente, o orçamento mensal é muito modesto: um fornecimento mensal de amostras do produto e o custo de ferramentas de contato e de apresentação, tais como as já mencionadas (CDs, DVDs, sites etc.), bem como material de desenvolvimento pessoal e de negócios.

Então, não, você não precisa de muito dinheiro para começar, mas *precisa* prever um orçamento para algumas despesas mensais razoáveis.

Você não precisa ser um gênio em negociação ou em números

Você precisa de um desejo ardente e de uma determinação alimentada por forte dose de paixão.

"Você tem de amar o que faz", diz meu amigo Donald Trump. "Sem paixão, é difícil encontrar sucesso de monta. Como empresário, você terá momentos difíceis se não estiver apaixonado pelo que está fazendo." Essas são algumas das coisas que não são necessárias para se construir um negócio bem-sucedido de marketing de rede. Agora vamos olhar para o que é preciso.

É preciso ser honesto consigo mesmo

A construção de um negócio no quadrante B não é tarefa fácil. Você precisa perguntar a si mesmo: "Tenho o que é preciso? Estou disposto a ir além da minha zona de conforto? Estou disposto a ser liderado, bem como a aprender a liderar? Existe uma pessoa rica dentro de mim, pronta para ser externalizada?" Se a resposta for "Sim", então comece a procurar por um negócio de marketing de rede que tenha um excelente programa de treinamento.

> **John:** Gostaria de acrescentar o seguinte: Certifique-se de que você saiba claramente o ponto em que se encontra e o que gostaria de realizar na vida. Ter uma visão do que gostaria de realizar é essencial.
>
> Em seguida, esclareça suas expectativas. Saiba quanto vai demorar, quanto tempo terá de despender semanalmente, assim como quanto dinheiro, habilidades e recursos. Saiba claramente quais ações você precisa tomar para ser bem-sucedido. Estabeleça prazos realistas.

No livro que escrevi com Donald Trump, *Nós queremos que você seja rico*, Donald escreveu:

"O marketing de rede exige espírito empreendedor, e isso significa foco e perseverança. Não recomendo marketing de rede para as pessoas que não são altamente motivadas."

Donald está absolutamente certo.

É preciso ter a atitude certa

Para mim, tornar-me empreendedor é um processo contínuo com o qual ainda estou envolvido. Acredito que serei um empresário em treinamento até o fim dos meus dias. Amo os negócios e adoro resolver problemas negociais. É um processo que me traz o tipo de vida que quero ter. Embora, muitas vezes, não tenha sido fácil, tem valido a pena.

Um pensamento me deu forças para seguir em frente: meu brilho no escuro, mesmo na mais escura das noites. Eu tinha um pequeno pedaço de papel de um biscoito da sorte chinês colado na base de um telefone do escritório de nossa empresa de carteiras de surfistas que dizia:

Você sempre pode desistir. Por que tem de ser agora?

Houve muitos telefonemas com os quais eu tinha de lidar que me proporcionaram razões mais do que de sobra para desistir. No entanto, depois de desligar o telefone, eu olhava para aquelas palavras de sabedoria do biscoito da sorte e dizia a mim mesmo: "Por mais que eu queira desistir, não será hoje. Amanhã desisto."

A coisa boa é que o amanhã nunca veio.

Pai Rico costumava dizer que, se ficar rico fosse fácil, todo mundo seria rico. É por isso que, quando as pessoas perguntam qual foi a primeira coisa que me permitiu tornar-me rico, respondo que não queria que ninguém me dissesse o que fazer. Eu queria a minha liberdade intensamente. Não queria ter segurança no emprego; queria a liberdade financeira. E é isso que o marketing de rede oferece.

Se você gosta de ter alguém lhe dizendo quanto pode ganhar e quando deve chegar ou sair do trabalho, então uma empresa de marketing de rede não serve para você.

É preciso haver crescimento real

Um negócio de marketing de rede pode ser um negócio no quadrante D, mas isso não significa necessariamente que será. Isso é com você.

O marketing de rede é o veículo perfeito para pessoas que querem entrar no mundo do quadrante D. Enquanto seu potencial de rendimento nos quadrantes E e A é tipicamente limitado a quanto você *como indivíduo* pode produzir, no negócio de marketing de rede é possível ganhar tanto quanto sua rede gera. Isso significa que, quando você constrói uma rede muito grande, pode ganhar uma enorme quantidade de dinheiro.

No entanto, apenas aderir a uma empresa de marketing de rede não faz do seu novo empreendimento um negócio do quadrante D – não até que seja realmente grande.

John: A definição técnica de um "empreendimento grande" é aquele que engloba 500 ou mais pessoas. Mais uma vez, esses 500 são geralmente descritos como "empregados", mas a questão principal é o número de envolvidos. Quando você constrói uma rede de 500 ou mais representantes independentes, o que tem definitivamente se encaixa na definição de uma grande empresa do quadrante D. E o sistema de uma empresa de marketing de rede é projetado para se expandir para muito além de 500 pessoas. É comum que cresça até vários milhares ou até mesmo dezenas de milhares, e não é incomum ver redes de centenas de milhares de pessoas.

Recém-chegados ao negócio de marketing de rede muitas vezes cometem o erro de tratar a renda de sua nova rede como "dinheiro grátis", rendimento prontamente disponível desde o primeiro dia. Mas quando você tem apenas 5, 10, 50 ou mesmo 100 ou 200 pessoas em sua rede, seu novo negócio ainda está em período de formação. Não é ainda um *grande* negócio.

Uma vez que a rede cresce além de 500 pessoas e pode chegar a milhares, você tem um verdadeiro negócio do quadrante D gerando renda passiva. Não é só uma rede viável; é um ativo de geração de renda.

Mas isso significa que o intervalo entre o momento em que você começa até o ponto no qual chega a essa escala de mais de 500 é um período de formação, um tempo para construir a base. Mantenha-o em perspectiva. Não perca de vista o objetivo real: a construção de riqueza.

É preciso tempo

Se você acha que pode começar um negócio de marketing de rede e imediatamente começar a ganhar dinheiro, então ainda está pensando como alguém que vive nos quadrantes E ou A. Na verdade, são as pessoas nos quadrantes E e A as que mais caem nos esquemas de fraudes e enriquecimento rápido.

John: Não há essa coisa de métodos de enriquecimento rápido no marketing de rede. Ainda que as atividades do negócio sejam simples, demandam tempo e esforço, a fundação da criação de renda passiva.

A Associação de Venda Direta afirma que, em média, um em cada 10 contatos dirá "sim" à oportunidade. No entanto, esse número aumenta com o nível de experiência do proprietário do negócio. Lembre-se: esse número se torna verdadeiro com o volume. Talvez você encontre essa média em apenas 10 contatos, mas descobrirá que é verdade para 100 contatos.

Ao longo dos anos, existiram algumas pessoas que promoveram o negócio de marketing de rede como uma espécie de "*fast track* (caminho mais rápido)" para a riqueza. Claro que isso é uma besteira total. As pessoas no marketing de rede que desenvolveram suas habilidades de liderança construíram seus negócios e desenvolveram riqueza genuína passaram longos e duros anos fazendo isso.

Portanto, não se engane se ouvir alguém tentar lhe dizer que você deve ver resultados rápidos. Isso não é um passe de mágica nem um golpe de sorte: é um negócio sério. É da *sua vida* que estamos falando aqui.

No mundo real dos negócios, se você não consegue produzir resultados no prazo de três a seis meses, será demitido. A Xerox foi uma das poucas empresas generosas: eles me deram um ano para aprender e um ano de liberdade condicional. Se eu não tivesse tido aqueles dois anos, teria sido demitido.

Sua situação é diferente: a sua empresa de marketing de rede não vai demiti-lo – por isso não demita a si mesmo. Não se dê alguns meses ou um ano de esforço para, em seguida, dizer: "Ah, bem, não funcionou para mim." Dê a si mesmo o tempo que for necessário.

Robert: John, quando digo às pessoas "Deem um tempo", invariavelmente ouço a seguinte pergunta: "Ok, quanto tempo?" Como você responderia a isso?

John: Eu diria cinco anos.

Robert: É exatamente a mesma resposta que dou! Na verdade, é o mesmo para a construção de *qualquer* tipo de negócio, chamo de "meu plano quinquenal".

O plano quinquenal

Se você considera seriamente começar sua jornada, recomendo que se comprometa com um mínimo de cinco anos de aprendizado, crescimento, mudança de valores essenciais e encontros com novos amigos. Por quê? *Porque isso é realista.*

Levou anos para Howard Schultz construir a Starbucks, para Ray Kroc construir o McDonald, e para Michael Dell construir a Dell Computers. É preciso algum tempo para se construírem grandes empresas e grandes líderes empresariais. Levei anos para construir meu próprio negócio bem-sucedido do quadrante D. Levará anos para construir sua empresa de marketing de rede. Por que seria diferente?

A maioria das pessoas não pensa em termos de anos; treinadas pela publicidade e acostumadas com seus salários do quadrante E, elas pensam em termos de gratificação imediata. É de se admirar que tantas pessoas, quando consideram pela primeira vez a possibilidade de colocar o pé no mundo D, sejam tão suscetíveis à ideia de "ficar ricas rapidamente"?

"Eu me inscrevi há uma semana. Quando começo a fazer muito dinheiro?"

Gente, *ficar rico rapidamente* é um oximoro. Um relacionamento rico não acontece rapidamente; um livro que seja recompensador nunca é escrito da noite para o dia. A criação de riqueza, por definição, leva tempo, e isso é tão verdadeiro para a riqueza financeira quanto para qualquer outro tipo de riqueza. Por isso há tão poucas pessoas no quadrante D. A maioria das pessoas quer dinheiro, mas não está disposta a investir tempo.

Dez mil horas: faça as contas. Se você trabalha oito horas por dia, cinco dias por semana, atingirá a marca de 10 mil horas depois de cinco anos de esforço em período integral.

Em seu livro *Outliers: Fora de Série*, Malcom Gladwell explica que, para se tornar excepcionalmente realizado em qualquer coisa, é necessário dedicar cerca de 10 mil horas de trabalho duro. Quando era um garoto ainda no colegial, Bill Gates colocou 10 mil horas em programação. Quando ainda eram apenas uma banda britânica de desconhecidos, os Beatles tocaram em uma casa noturna em Hamburgo, sete horas por dia, sete dias por semana e colocaram aí cerca de 10 mil horas.

"O que é realmente interessante sobre essa regra das 10 mil horas", diz Gladwell, "é que ela se aplica a virtualmente tudo. Você não pode se tornar um grande mestre de xadrez a menos que passe 10 mil horas praticando. O prodígio do tênis, que começa a jogar aos 6 anos, compete em Wimbledon aos 16 ou 17, como Boris Becker. O músico clássico que começa a tocar violino aos 4 anos estreará no Carnegie Hall com mais ou menos 15".

Dez mil horas: faça as contas. Se você trabalha 8 horas por dia, 5 dias por semana, atingirá a marca de 10 mil horas depois de 5 anos de esforço em período integral.

Felizmente para você, ser um mestre em marketing de rede não é como tornar-se um grão-mestre em jogo de xadrez. Você não precisa tornar-se Boris Becker, os Beatles ou Bill Gates. Você não precisa tornar-se o melhor do mundo – mas tem de dominar as habilidades do negócio. Não serão necessários cinco anos de tempo integral, de 40 horas por semana. Mas para aprender e dominar o que é preciso para construir uma rede enorme, com renda passiva, faça a si mesmo um grande favor e se dê o tempo suficiente.

A propósito, *ainda* uso esse plano quinquenal.

Quando decido aprender algo novo, por exemplo, investir em imóveis, permito-me ainda cinco anos para aprender o processo. Quando eu quis aprender a investir em ações, mais uma vez me dei cinco anos para aprender o processo. Muitas pessoas investem uma vez, perdem alguns dólares e depois saem. Elas desistem após seu primeiro erro, razão pela qual não conseguem aprender. Mas perder faz parte do processo de ganhar. Só os perdedores acreditam que os vencedores nunca perdem, que pensam que os erros devem ser evitados a todo custo. Erros são oportunidades valiosíssimas de aprender lições essenciais.

Hoje, ainda me dou cinco anos para cometer o máximo possível de erros. Faço isso porque sei que, quanto mais erros eu cometer, mais aprenderei e mais esperto me tornarei. Se eu não cometer erros por cinco anos, então não estou mais sábio do que estava cinco anos atrás, apenas cinco anos mais velho.

Dê-se tempo para desaprender também

Por mais que existam coisas para aprendermos nesse negócio, são boas as chances de que também haja uma quantidade substancial de coisas para *desaprendermos*.

Uma das razões para que muitas pessoas fiquem tão arraigadas aos quadrantes E e A é que elas começam a se sentir confortáveis ali. Não é que esses quadrantes sejam necessariamente mais confortáveis. Afinal, você está sendo tributado como um louco, seu tempo nunca é propriamente seu, muitas vezes você é forçado a trabalhar com pessoas que não suporta... de muitas maneiras, esses quadrantes são realmente muito *desconfortáveis*. Mas as pessoas começam a se sentir confortáveis lá porque passaram anos aprendendo a estar ali, e é o que elas sabem, afinal.

Tudo isso muda quando você entra para o mundo do marketing da rede. A experiência de trabalho que vem por causa do tempo despendido no emprego tradicional ou autônomo muitas vezes não é tão útil no marketing da rede. Horário fixo de trabalho, salários definidos ou com base em tempo despendido, a estrutura de chefes e hierarquias de gestão, descrições de trabalho muito restritas, uma clientela claramente definida, uma estratégia claramente definida de território e edifícios físicos são muitas das armadilhas do local de trabalho convencional que não existem nesse negócio.

Se você trabalhou em vendas tradicionais, como já dissemos, vai querer desaprender muitas dessas habilidades, porque, em marketing de rede, não é o que você pode fazer que importa, mas o que pode fazer *e duplicar.*

Se você tem experiência em gestão de pessoas, precisará de alguma *desaprendizagem* também – porque, no marketing de rede, você não contrata, não demite, nem diz o que fazer. Trata-se de uma dinâmica completamente nova esse negócio do século XXI e, para se destacar aqui, você provavelmente precisará deixar alguns velhos hábitos para trás.

Permita-se algum tempo para desaprender, bem como para aprender. Para algumas pessoas, a parte mais difícil de mudar do lado esquerdo do quadrante para o lado direito é desaprender o ponto de vista dos quadrantes E e A. Depois de desaprender o que você aprendeu, a mudança se torna muito mais rápida e mais fácil.

Tudo se resume à ação

Você pode planejar, estudar e aprender tudo o que quiser, mas as únicas pessoas que vencem no marketing de rede são aquelas que agem hoje, amanhã e sempre.

Capítulo 20

Viver a vida

O que o torna rico? A maioria das pessoas responderia: "Dinheiro, claro!" E estariam erradas. Ter dinheiro não o torna rico porque você sempre pode perdê-lo. Possuir imóveis não o torna verdadeiramente rico porque (como estamos vendo dramaticamente nos últimos anos) imóveis sempre podem perder valor.

Então, o que o torna rico? *Conhecimento.*

Minha lição de ouro

Como jovem adulto, mesmo antes de começar a investir em imóveis, meu primeiro investimento foi em ouro. "O ouro é o único dinheiro de verdade", raciocinei. "Como poderia dar errado?" Comecei a comprar moedas de ouro em 1972, quando o ouro custava aproximadamente $85 a onça. Eu tinha 25 anos. No momento em que completei 32 anos, o ouro estava se aproximando dos $800 a onça, e meu dinheiro se multiplicou quase *10 vezes.* Caramba!

O frenesi continuou e a ganância superou a cautela. Os rumores eram de que o ouro iria bater $2.500 a onça. Investidores gananciosos começaram a acumular, mesmo aqueles que nunca haviam comprado ouro. Eu poderia ter vendido minhas moedas de ouro por um lucro significativo, mas segurei-as, na esperança de o preço subir ainda mais. Cerca de um ano mais tarde, com o preço voltando aos $500 a onça, finalmente vendi minha última moeda. Vi o preço do ouro cair até 1996, quando, finalmente, atingiu o fundo do poço a $275 a onça.

Imóveis, ouro, ações, trabalho duro ou dinheiro não o tornam rico; o que o torna rico é o que você sabe sobre imóveis, ouro, ações, trabalho duro e dinheiro. Em última instância, é sua inteligência financeira que o torna rico.

Não fiz muito dinheiro com ouro, mas ele me ensinou uma lição de valor inestimável. Uma vez que vi que poderia realmente perder dinheiro investindo em "dinheiro real", percebi que não era o ativo tangível que era valioso. Era informação em relação ao ativo que, no final das contas, torna uma pessoa rica ou pobre.

Imóveis, ouro, ações, trabalho duro ou dinheiro não o tornam rico; o que o torna rico é o que você sabe sobre imóveis, ouro, ações, trabalho duro e dinheiro. Em última instância, é sua inteligência financeira que o torna rico.

E inteligência financeira tem pouco ou nada a ver com inteligência acadêmica. Você pode ser um gênio quando se trata de inteligência acadêmica, mas um idiota quando se trata de inteligência financeira.

1. Saber como fazer mais dinheiro

Quanto mais dinheiro você faz, maior é sua inteligência financeira. Alguém que ganha $1 milhão por ano tem um QI financeiro maior do que aquele que ganha $30 mil ao ano.

2. Saber proteger seu dinheiro

Todo mundo quer seu dinheiro, e não é apenas os Bernie Madoffs. Um dos maiores predadores financeiros é o governo, que toma seu dinheiro legalmente.

Pegue duas pessoas que ganham $1 milhão por ano. Se uma paga 20% em impostos, enquanto a outra paga 35%, a primeira pessoa tem um QI financeiro mais elevado.

3. Saber fazer um orçamento

Muitas pessoas não conseguem fazer sobrar dinheiro algum do que ganham porque fazem um orçamento como uma pessoa pobre, e não como uma pessoa rica. Para orçar seu dinheiro, também é preciso ter inteligência financeira.

Veja duas pessoas: a Pessoa A ganha $120 mil ao ano, enquanto a Pessoa B ganha $60 mil. Quem tem mais inteligência financeira, a Pessoa A? Não pense tão rápido. Digamos que a Pessoa A também gaste $120 mil ao ano, começando do zero no começo do novo ano. Mas a Pessoa B, que ganha apenas $60 mil, faz orçamentos com cuidado e é capaz de viver bem com apenas $50 mil, e investe os restantes $10 mil. Quem acaba com mais?

Se você tem poucas habilidades de gestão financeira, então nem todo o dinheiro do mundo pode salvá-lo. Se você orça seu dinheiro sabiamente, e aprende sobre os quadrantes D e I, então está no caminho certo para uma grande fortuna pessoal e, mais importante, para ter liberdade.

Ser capaz de viver bem e ainda investir, *não importa o quanto ou quão pouco você faz*, requer alto nível de inteligência financeira. Um excedente é algo que você tem de ativamente buscar em seu orçamento.

4. Saber alavancar seu dinheiro

Depois de um excedente orçamentário, o próximo desafio financeiro é a alavancagem desse excedente. O retorno sobre o investimento é mais uma medida de inteligência financeira. A pessoa que consegue um retorno de 50% sobre seu dinheiro tem um QI maior do que aquela que consegue 5%. E aquele que ganha 50% livre de impostos em seu dinheiro tem um QI financeiro muito mais elevado do que aquele que ganha apenas 5% e, em seguida, paga 35% em impostos sobre aqueles 5%!

A maioria das pessoas poupa seus excedentes financeiros, quando tem algum, colocando-o em um banco ou uma carteira de fundos de investimentos, esperando que isso vá alavancar seu dinheiro. Mas há maneiras muito melhores de alavancar seu dinheiro que não exigem muita inteligência financeira: você pode treinar um macaco para economizar dinheiro e investir em fundos mútuos, é exatamente por isso que os retornos desses veículos de investimento são historicamente lamentáveis.

Uma vida magnífica

O objetivo de seu negócio de marketing de rede não é você fazer dinheiro, mas dar-lhe habilidades e inteligência financeira para usar esse dinheiro adicional para construir riqueza genuína.

Mas mesmo esse não é o objetivo final. O objetivo final de construir essa riqueza é para que você possa ter uma vida magnífica.

Das minhas observações das pessoas em muitas situações diferentes, eu diria que existem três maneiras de viver. Essas três formas surgem de três emoções diferentes, e também correspondem a três diferentes estados financeiros e emocionais:

VIVER COM MEDO

Sei o que significa estar falido. Já descrevi como, em 1985 – em vários aspectos o pior ano da minha vida –, Kim e eu estivemos em situação financeira tão precária que, literalmente, éramos sem-teto, vivendo em nosso velho Toyota quebrado. O sentimento de medo durante esses dias foi paralisante, tão intenso que amortecia inteiramente nossos corpos.

Eu conhecia esse sentimento: foi a mesma sensação que tivera na infância, crescendo em uma família que vivia quebrada quase o tempo todo. Essa nuvem escura de "o dinheiro não é suficiente" pairou sobre nossa família a maior parte da minha infância. Não ter dinheiro suficiente para viver é uma experiência horrível, e machuca em muitos mais aspectos além do financeiro. Pode minar sua autoconfiança e senso de autoestima e sabotar todos os outros aspectos de sua vida.

VIVER COM RAIVA E FRUSTRAÇÃO

A segunda maneira de viver é com a emoção da raiva ou da frustração de ter de se levantar e ir para o trabalho, especialmente quando você preferiria estar fazendo outra coisa. Uma pessoa que vive com esse sentimento pode até ser alguém que tem um bom trabalho e ganha bem, mas não pode se dar ao luxo de parar de trabalhar. É aí que a frustração vem. Ela sabe que, se parar, o mundo em que vive desabaria.

Pessoas assim costumam dizer: "Não posso me dar ao luxo de parar. Se eu parar, os bancos viriam e levariam tudo embora." Essas pessoas muitas vezes dizem: "Mal posso esperar até minhas próximas férias" ou "Faltam só 10 anos para a aposentadoria".

VIVER COM ALEGRIA, PAZ E CONTENTAMENTO

A terceira maneira de viver é com a paz de espírito de saber que, independentemente de você trabalhar ou não, o dinheiro entra com abundância. Essa é a sensação com a qual Kim e eu temos convivido, desde 1994, quando vendemos nosso negócio e nos aposentamos. Kim tinha, então, 37 anos e eu, 47. Hoje, muitos anos depois, continuamos a trabalhar; na verdade, trabalhamos duro. Por quê? Porque amamos o que fazemos.

O sentimento de não *precisar* trabalhar, sabendo que, não importa o que façamos, teremos dinheiro mais do que suficiente durante o tempo que vivermos, é incrivelmente libertador, emocionante, que nos permite fazer o que realmente amamos.

Gastamos nosso tempo juntos e, estejamos jogando golfe, viajando ao redor o mundo ou despendendo longas horas em nossa sala de reuniões, para nós, é tudo diversão e é uma coisa dos sonhos. É a nossa vida, exatamente como sempre sonhamos que fosse, e nós valorizamos cada momento disso.

Formigas, cigarras e seres humanos

Já mencionei a fábula da formiga e da cigarra. Todos nós crescemos com essa ideia de que existem duas maneiras de se viver: viver como a boa, modesta, laboriosa e frugal formiga e juntar migalhas para o futuro, ou como a cigarra irresponsável e perdulária, dançando e tocando violino sem nunca pensar no futuro.

De certa forma, essa imagem nos fez mais mal que bem. Claro, é bom ser responsável e frugal e se preparar para o futuro. Mas olhe para o estilo de vida da formiga! Você realmente quer ser uma engrenagem em uma colônia gigantesca de formigas, empurrando migalhas imundas, dia após dia, para o resto da vida?

Sejamos sinceros: não somos formigas e não somos gafanhotos; somos *seres humanos*. Não é razoável esperar termos uma vida plena que nós, seres humanos, somos capazes de ter?

Se você compreender os conceitos básicos de riqueza; se administrar seu dinheiro, o tempo e a atenção com inteligência; se criar grandes sonhos e tiver a audácia de persegui-los, então *pode* ter uma vida com o sucesso inesperado em algum momento do cotidiano.

Capítulo 21

O negócio do século XXI

Uma razão pela qual tenho forte respeito pelo marketing de rede é que se trata de uma oportunidade de negócio genuinamente democrática. O marketing de rede é muito amplo. Quando você observa atentamente os mais de 60 milhões de pessoas no mundo envolvidas nesse tipo de negócio, encontrará gente de todas as cores e credos, de todas as faixas etárias, de todos os *backgrounds* e níveis de habilidade e experiência.

Isso também faz com que seja o negócio do futuro. No século XXI, estamos percebendo pela primeira vez com muita intensidade que a riqueza, como eu disse, não é um jogo de soma zero. Não é uma questão de alguns de nós prosperarmos, mantendo os outros empobrecidos. O futuro de uma riqueza verdadeira reside nas formas pioneiras de se fazerem negócios que elevam o bem-estar financeiro da humanidade.

Esses são meus valores pessoais de fazer negócios e o marketing de rede compartilha esses valores. E defender esses valores não só faz com que nos *sintamos bem* – também é *um bom negócio.*

Construção democrática de riqueza

Uma das principais razões para eu depositar tanta energia em apoiar e promover a indústria de marketing de rede é simplesmente isto: seus sistemas são mais justos do que os sistemas anteriores de aquisição de riqueza.

Um sistema de marketing de rede é estabelecido para tornar possível a qualquer pessoa compartilhar riqueza. Essa é uma maneira muito democrática de criação de riqueza. O sistema está aberto a qualquer pessoa que tenha ímpeto, determinação e perseverança. O sistema realmente não se importa com a faculdade que você frequentou ou se não frequentou. Ele não se importa com quanto dinheiro você faz hoje, com sua raça ou sexo, se você tem boa aparência, quem são seus pais ou o quão popular você é. A maioria das empresas de marketing de rede se preocupa principalmente com o quanto você está disposto a aprender, a mudar e a crescer, e se você tem coragem suficiente para enfrentar dificuldades, enquanto aprende a ser um empresário.

O marketing de rede é mais do que apenas uma boa ideia; em muitos aspectos, é o modelo de negócio do futuro. Por quê? Porque o mundo está finalmente começando a despertar para a realidade de que a Era Industrial acabou.

Para um mundo que tem cada vez menos a antiga segurança, o marketing de rede está emergindo como um novo motor de realização individual e de segurança. O marketing de rede dá a milhões de pessoas em todo o mundo a oportunidade de tomar as rédeas de sua vida e de seu futuro financeiro. É por isso que, mesmo que os pensadores do velho mundo insistam em não enxergar isso ainda, a indústria do marketing de rede continuará a crescer.

Nos próximos anos, espero assistir a uma explosão na prevalência de penetração, visibilidade e maturação de empresas importantes de marketing de rede.

Anteriormente, escrevi sobre como Thomas Edison se tornou rico, não por fazer uma lâmpada melhor, mas pela criação da rede elétrica, que deu suporte ao uso da lâmpada. Edison tinha um jovem empregado, chamado Henry, que fez algo muito parecido com outra nova invenção que, na época, parecia não ter uso prático.

Por sua própria natureza e design, o marketing de rede é um sistema justo, democrático e socialmente responsável por geração de riqueza.

Como Edison, com a lâmpada, o jovem Henry Ford não inventou o automóvel, mas fez algo radical que mudou para sempre o destino dessa invenção, juntamente com o destino de milhões de pessoas. Na virada do século XIX para o século XX, o automóvel era visto como uma curiosidade, um brinquedo de gente rica. E, de fato, eles eram tão excessivamente caros que só os ricos podiam se dar ao luxo de possuir um. A ideia radical de Ford era tornar o automóvel acessível *a todos*.

Ao cortar os custos de produção e adaptar a linha de montagem para produzir em massa carros padronizados baratos, Ford se tornou o maior produtor de automóveis do mundo. Não só ele tornou seu carro acessível, como também pagava os salários mais altos da indústria e até mesmo ofereceu planos de participação nos lucros, redistribuindo mais de $30 milhões anualmente para seus trabalhadores – e $30 milhões valiam muito mais no início de 1900 do que hoje!

A declaração da missão da Ford era "democratizar o automóvel" e, no cumprimento dessa missão, ele se fez um homem muito rico.

O marketing de rede é uma forma revolucionária de negócios: pela primeira vez na história, é possível para qualquer um e para todos partilhar a riqueza que, até agora, tem sido reservada apenas aos poucos escolhidos ou sortudos.

Não é um negócio sem seus detratores. E já teve a sua quota de embusteiros, pessoas sem ética tentando fazer um dinheirinho rápido. Mas, por sua própria natureza e design, o marketing de rede é um sistema justo, democrático e socialmente responsável por geração de riqueza.

Apesar do que seus detratores dirão, o marketing de rede não é um negócio muito bom para pessoas gananciosas. Na verdade, a única maneira de você enriquecer no marketing de rede é ajudando outros a se tornarem ricos no processo. Para mim, isso é tão revolucionário quanto foram Thomas Edison e Henry Ford em seus dias.

O projeto do marketing de rede é o negócio perfeito para pessoas que gostam de ajudar outras. Eu não necessariamente condeno a ganância; um pouco de ganância e interesse pessoal sempre é saudável. Mas quando o objetivo de ganho pessoal sai da perspectiva e as pessoas o perseguem à custa dos outros, torna-se repugnante. Acredito que a maioria das pessoas é inerentemente generosa e nós tiramos grande satisfação e gratificação de nossas próprias realizações quando elas servem também para ajudar outras pessoas.

O marketing de rede satisfaz este impulso generoso. Ele oferece um caminho pessoal de sucesso, para a construção de uma grande riqueza e a criação da liberdade financeira através de um processo que só funciona se ajudarmos os seres humanos.

Você pode ficar rico sendo medíocre e ganancioso. Também pode ficar rico se for altruísta e generoso. O método que você escolher será aquele que mais se aproxima de seus valores mais essenciais.

Uma fundação econômica para a paz

Voei de helicóptero em missões sobre as selvas do Vietnã, e sei, por experiência própria, como é a guerra. Sei também que a desigualdade é uma das causas principais da guerra. Enquanto o fosso entre ricos e pobres continuar se alargando, será difícil criar condições de paz. Nós podemos marchar para a paz, dar palestras endossando-a, formar comissões para estudá-la e promovê-la, mas será impossível realmente *criar* a paz sobre a qual falamos a menos que possamos levar oportunidades econômicas substanciais para muitos milhões de pessoas.

E por mais incrível que o objetivo pareça, é exatamente isso que o marketing de rede está fazendo. Hoje, as empresas de marketing de rede estão espalhando a paz através de oportunidades econômicas em todo o mundo. Não apenas as empresas de marketing de rede estão prosperando em todas as principais capitais do mundo, como também muitas estão funcionando nas nações em desenvolvimento, trazendo esperança financeira para milhões de pessoas que vivem em países pobres. Empresas mais tradicionais só podem sobreviver onde as pessoas são ricas e têm dinheiro para gastar.

É hora de as pessoas ao redor do mundo terem a mesma oportunidade de desfrutar de uma vida rica e abundante, em vez de passar a vida trabalhando duro só para enriquecer ainda mais os ricos.

É hora de você ter essa oportunidade.

Bem-vindo ao século XXI!

Conheça outros livros da Série Pai Rico:

PAI RICO: O PODER DA EDUCAÇÃO FINANCEIRA

ISBN: 978-85-352-4517-2
232 páginas

Conheça outros livros da Série Pai Rico:

PAI RICO:
O SEGREDO DOS RICOS
ISBN: 978-85-352-3847-1
216 páginas

Conheça outros livros da Série Pai Rico:

MULHER RICA

ISBN: 978-85-352-2235-7
296 páginas

Conheça outros livros da Série Pai Rico:

PAI RICO: DESENVOLVA SUA INTELIGÊNCIA FINANCEIRA

ISBN: 978-85-352-3119-9

216 páginas

Impressão e acabamento
Imprensa da Fé